Les meilleures
recettes
anti-cancer

Les meilleures recettes anti-cancer

par Geneviève O'Gleman Dt.P. Nutritionniste

ÉDITIONS LA SEMAINE

LES ÉDITIONS LA SEMAINE
1080, côte du Beaver Hall, bureau 904,
Montréal (Québec) H2Z 1S8

Éditeur: Claude J. Charron
Directeur des éditions: Claude Leclerc
Directeur des opérations: Réal Paiement
Directeur de la création: Éric Monette
Directeur artistique: Éric Béland

Coordonnatrice du projet: Katie Moquin
Superviseure de la production: Lisette Brodeur
Assistants-contremaîtres: Steve Paquette, Valérie Gariépy
Infographistes: Dominic Bellemare, Nancy Corriveau, Joanie Pellerin
Réviseure en chef: Françoise Le Grand
Réviseurs-correcteurs: Jean-François Bourdon,
Pierrette Dugal, Sara-Nadine Lanouette,
Scanneristes: Patrick Forgues, Bruno Henry, Éric Lépine

Recettes: Geneviève O'Gleman, Éric Régimbald

Photo de Geneviève O'Gleman: Georges Dutil
Photo des recettes: Tango

© Charron Éditeur Inc. 2006
Dépôt légal: deuxième trimestre 2006
Bibliothèque nationale du Québec
Bibliothèque nationale du Canada
ISBN: 2-923501-06-3

Remerciements

Je tiens à remercier sincèrement les gens qui m'ont aidée à concevoir ce livre. Certains m'ont donné un coup de main pour développer, tester et goûter les recettes, d'autres m'ont tout simplement fait confiance au fil de ce projet. Je vous remercie tous.

Merci à Stéphane Collin, mon amoureux, pour sa patience, mais aussi pour ses judicieux conseils au fil de la création culinaire. Ses papilles critiques ont su m'éclairer, et ses idées ont permis de résoudre les nombreuses difficultés que soulevait l'adaptation de classiques gourmands en versions allégées.

Merci à Éric Régimbald et Véronique Gagnon-Lalanne, chefs et stylistes culinaires, pour leur contribution. Votre inspiration et votre originalité me surprennent toujours.

Merci à Judith Blucheau, nutritionniste, et France Arpin, technicienne en diététique, qui ont collaboré à l'élaboration et à l'analyse nutritionnelle des recettes.

Merci à Marie-Josée Taillefer de m'avoir fait confiance. C'est un grand plaisir de travailler avec toi pour *La Semaine* depuis les débuts du magazine. Je remercie toute l'équipe des Éditions La Semaine, et plus particulièrement Claude Leclerc, Michel Viau et Elizabeth Deschamps, de m'avoir confié de beaux projets, dont ce premier livre.

Geneviève O'Gleman Dt.P.
Nutritionniste

Préface

Je n'invente rien quand je dis qu'on rêve tous de vieillir en santé. Les grands-parents ont l'air de plus en plus jeunes, et je m'en réjouis.

Pour ma part, je n'ai malheureusement pas connu mes deux grands-pères, qui ont été emportés par le cancer avant ma naissance. J'ai également perdu plusieurs oncles et tantes que j'aimais. Des amies, mères de famille, ont affronté cette maladie avec courage et détermination... la détermination d'une mère qui veut épargner à ses enfants les effets néfastes d'une telle situation.

Comme plusieurs d'entre vous, je suis touchée par les ravages de cette sournoise maladie et j'aspire à trouver des solutions. De plus en plus d'études tendent à prouver les bénéfices d'une alimentation saine pour la prévention du cancer. Aurions-nous une partie de la solution? J'ose l'espérer!

Depuis quelques années, et plus fréquemment au cours des quatre dernières, j'ai eu l'occasion de travailler avec plusieurs nutritionnistes, dont Geneviève O'Gleman. Tout au long de notre travail sur les dossiers, Geneviève n'a cessé de m'impressionner. Sa recette? Des ingrédients infaillibles: la passion, la rigueur, la compétence et l'esprit de synthèse. Sa capacité à rendre l'information simple et concrète est sa plus grande qualité. Ainsi, semaine après semaine, Geneviève est devenue *«Ma nutritioniste de confiance»*.

Alors, en toute confiance je vous souhaite bon appétit!

Marie-Josée Taillefer

Introduction

Prévenir le cancer par l'alimentation

Selon le Fonds mondial de recherche contre le cancer (WCRF), une alimentation saine et un mode de vie équilibré pourraient prévenir de 30 à 40 % des cas de cancer. Au Québec, près de 15 000 cas de cancer seraient donc évités chaque année si chacun adoptait de meilleures habitudes alimentaires.

Une partie de la solution se trouve donc dans votre assiette. Chaque aliment a un petit quelque chose à vous proposer. Pour en tirer le maximum de bienfaits, adoptez une alimentation variée, composée d'aliments frais ou les moins transformés possible. Mais méfiez-vous des aliments vedettes ou miracles. De nombreux aliments sont reconnus pour leurs propriétés anti-cancer: c'est donc signe qu'il faut manger de tout, ou presque.

Aliment ou supplément?

Puisqu'on ne connaît pas encore tous les composés phytochimiques qui se cachent dans les aliments, il va de soi qu'on ne peut pas encore reproduire tous les bienfaits d'un aliment sous forme de capsule. De plus, la multitude de composés présents dans un aliment travaillent en synergie, et les suppléments n'arrivent pas à imiter leurs effets aussi efficacement. Certaines études démontrent même que les mégadoses d'antioxydants pourraient nuire à la santé. La nature a tellement bien fait les choses! Préférez donc les aliments plutôt que les suppléments: ils sont moins coûteux et tellement plus savoureux…

Des recettes pour prévenir le cancer?

La nutrition est une science passionnante, et les études scientifiques ne cessent de nous révéler ses secrets. Et des secrets, il y en a encore beaucoup à découvrir! Les recettes de ce livre reflètent les connaissances actuelles en matière de prévention du cancer. Sachez qu'on ne risque pas de se tromper en consommant plus de légumes et de fruits. Par contre, il est fort probable que de nouvelles études nous révèlent les bienfaits insoupçonnés associés à d'autres aliments. Vous pourrez alors les inclure dans vos recettes, tout en conservant une alimentation variée et équilibrée.

En plus de contribuer à prévenir le cancer, les recettes et conseils de ce livre pourraient bien réduire vos risques de diabète, de maladies cardiovasculaires et autres maladies chroniques. En fait, ce sont des recettes savoureuses qui respectent les critères d'une alimentation saine. Plusieurs sont riches en fibres et réduites en matières grasses. Vous pouvez consulter la valeur nutritive du plat proposé pour plus de détails.

Toutefois, ces recettes ne constituent pas un traitement en soi et ne garantissent pas une protection absolue contre les différents types de cancer. Quoiqu'ils soient basés sur les plus récentes études scientifiques, les conseils offerts dans ce livre ne remplaceront jamais une rencontre personnalisée avec un professionnel de la santé.

Vous avez des questions sur ce qui se trouve ou devrait se trouver dans votre assiette? Pour pousser plus loin votre démarche santé, n'hésitez pas à consulter une nutritionniste. Ce professionnel vous aidera à y voir plus clair et à adapter votre alimentation à votre style de vie.

Si vous souhaitez plutôt en apprendre davantage sur la prévention, le dépistage, le diagnostic et le traitement du cancer, renseignez-vous auprès de la Fondation québécoise du cancer ou discutez de la question avec votre médecin.

 Ordre professionnel des diététistes du Québec:
1 888 393-8528 ou www.opdq.org

 *Fondation québécoise du cancer:*
1 800 363-0063 ou www.fqc.qc.ca

Des études, s'il vous plaît!

Alors qu'on connaît depuis longtemps le rôle d'une alimentation saine dans la prévention de plusieurs maladies, c'est seulement au cours des dernières années que des études d'envergure ont commencé à faire le lien entre les aliments et la prévention du cancer. D'autres études sur l'alimentation et le cancer sont en cours et permettront de parfaire nos connaissances et notre compréhension de cette maladie.

Affirmer hors de tout doute que tel ou tel aliment prévient systématiquement tel ou tel cancer est un non-sens. On ne dispose pas de garanties! Le cancer est le résultat d'un phénomène complexe. Bien qu'il soit de mieux en mieux compris, certains aspects demeurent nébuleux.

Les médias ont parfois tendance à présenter des résultats préliminaires de façon spectaculaire. Il n'est pas rare de voir les journaux titrer «Tel aliment prévient le cancer» et de lire à la fin de l'article que l'étude citée a été menée pendant trois mois sur cinquante sujets. Ou pire, sur des rats de laboratoire ou des cellules isolées... Or, pour pouvoir affirmer de tels faits, il faut que de nombreuses études d'envergure (grands échantillons, longue durée) arrivent aux mêmes conclusions et que d'autres études puissent expliquer les mécanismes d'action.

Des statistiques alarmantes

- Selon la Société canadienne du cancer, plus d'une personne sur trois — 38 % des Canadiennes et 44 % des Canadiens — sera atteinte d'un cancer au cours de sa vie.

- On estime aussi que 24 % des Canadiennes et 29 % des Canadiens, soit environ une personne sur quatre, mourront des suites d'un cancer[1].

- Le cancer est aujourd'hui la première cause de mortalité au Québec[2], et le nombre de nouveaux cas est toujours en hausse au Canada. Ainsi, en 2006, on estime à 153 100 le nombre de nouveaux cas de cancer (38 300 au Québec) et à 70 400 le nombre de décès attribuables à cette maladie (19 000 au Québec).

- Selon la Coalition Priorité Cancer au Québec, à compter de 2010, un Québécois sur deux sera atteint d'un cancer au cours de sa vie.

1 Statistiques canadiennes sur le cancer 2006, *Probabilité de recevoir un diagnostic de cancer ou d'en mourir*, Toronto, avril 2006, p. 55.
2 Rapport national sur l'état de santé de la population du Québec – *Produire la santé*, ministère de la Santé et des Services sociaux, Québec, avril 2005.

Fruits et légumes: encore et encore

Le lien entre la consommation de fruits et de légumes et la prévention du cancer est aujourd'hui une certitude. Savoir quel légume ou quel fruit offre la meilleure protection contre le cancer importe peu: l'essentiel, c'est d'en manger.

• **Première étape:** on s'assure de manger au moins cinq portions de 1/2 tasse (125 ml) de fruits et légumes par jour. Chaque portion équivaut à la grosseur d'une balle de tennis. Tous les fruits et les légumes sont bons pour la santé.

• **Deuxième étape:** lorsqu'on a l'habitude de consommer quotidiennement des fruits et des légumes en abondance, on peut se tourner vers certaines variétés qui ont ce petit quelque chose en plus pour aider à prévenir le cancer. Ces «super» fruits et légumes ont été intégrés aux recettes de ce livre. Chou, brocoli, cresson, agrumes, petits fruits, patates douces, oignons, canneberges… il y en a pour tous les goûts!

Un menu de toutes les couleurs

Les pigments contenus dans les fruits et les légumes possèdent un grand pouvoir antioxydant. Au-delà de la pelure, plus la chair est colorée, plus l'aliment est riche en vitamines et minéraux, mais aussi plus sa teneur en antioxydants est élevée. Les légumes vert foncé, rouges ou orange, les fruits rouges, bleus ou mauves sont donc des choix santé par excellence.

Chaque famille botanique contient des antioxydants différents. Pour obtenir la gamme la plus complète d'antioxydants, il faut donc consommer une grande variété d'aliments: un seul aliment ou un seul groupe d'aliments n'aura jamais réponse à tout. Selon les experts, si les gens consommaient au moins cinq portions de fruits et légumes par jour, environ 20 % des cas de cancer pourraient être évités.

Habituez-vous à compter les couleurs dans votre assiette: plus il y en a, mieux c'est! Le jeu amusera les enfants et incitera les plus grands, comme vous, à diversifier leur alimentation.

Pour mettre toutes les chances de votre côté;

consommez plus de:
- **fruits et légumes:** choisissez des fruits et des légumes frais ou surgelés plutôt que ceux en conserve ou sous forme de jus;
- **légumineuses:** haricots rouges, lentilles, soja, pois chiches,...
- **aliments riches en fibres:** céréales entières, noix, graines, légumineuses, fruits, légumes,...
- **poisson:** surtout les poissons à chair grasse, comme le saumon, la truite, le thon, le maquereau et le hareng;
- **protéines végétales:** légumineuses, noix, graines, tofu,...
- **matières grasses monoinsaturées et polyinsaturées:** tout en réduisant votre consommation totale de gras, choisissez de bons gras comme l'huile d'olive, de canola, de lin et de tournesol, et mangez plus souvent des noix, des graines, des avocats, du poisson et d'autres aliments riches en oméga-3.

> *LES CANADIENS CONSOMMENT EN MOYENNE 10 GRAMMES DE FIBRES ALIMENTAIRES PAR JOUR ALORS QU'IL EST RECOMMANDÉ D'EN CONSOMMER ENVIRON 30 GRAMMES.*

Pour mettre toutes les chances de votre côté (suite);

consommez moins de:

- **sel/sodium:** privilégiez les herbes, les épices, l'ail, le citron et le gingembre pour donner du goût à vos plats. Méfiez-vous des aliments préparés (conserves, plats cuisinés, aliments prêts à servir et prêts à l'emploi), souvent plus riches en sodium qu'on ne le pense. Ciblez ceux qui contiennent 500 mg de sodium ou moins par portion;
- **aliments transformés:** privilégiez les aliments frais et consommez les aliments préparés avec modération: souvent peu nutritifs, ils contiennent des additifs et agents de conservation superflus;
- **aliments saumurés et charcuteries:** riches en sodium, ces aliments contiennent également des nitrites, des additifs qui peuvent avoir des effets cancérigènes s'ils sont consommés fréquemment;
- **viande rouge:** la viande rouge est un aliment sain et nutritif, à condition de ne pas se retrouver trop souvent au menu. Une à deux fois par semaine, c'est suffisant. Misez plutôt sur les viandes blanches, les poissons, les œufs et les protéines végétales pour les autres repas;
- **grillades sur le barbecue:** voir l'explication à la page 17;
- **matières grasses saturées:** modérez votre consommation en choisissant des viandes maigres et des produits laitiers partiellement écrémés, et en y allant mollo sur les charcuteries, les terrines et les aliments issus de la restauration rapide;
- **gras trans:** évitez ces gras qui ont prouvé leurs effets négatifs sur la santé. Recherchez les mots «shortening» et «hydrogéné» dans la liste des ingrédients, et évitez les produits qui en contiennent. Privilégiez les produits sains contenant 0 g de gras trans selon le tableau d'information nutritionnelle;
- **alcool:** au maximum, deux consommations par jour pour les hommes et une consommation par jour pour les femmes, le moins étant le mieux.

Le barbecue

Un risque pour la santé? Bien que les viandes grillées sur le barbecue soient généralement plus faibles en matières grasses, les gouttelettes de gras qui s'écoulent des aliments sur la source de chaleur forment une fumée qui contient des benzopyrènes, une substance cancérigène. Ainsi, une consommation élevée de produits fumés ou cuits sur le barbecue augmenterait les risques de cancer. Ne rangez pas votre barbecue pour autant: de petits ajustements à votre façon de l'utiliser pourraient suffire à réduire vos risques.

Conseils pour échapper aux risques de la cuisson sur le gril

- Nettoyez bien la grille à l'aide d'une brosse à barbecue en acier avant chaque utilisation.
- Choisissez des viandes maigres et enlevez le gras visible ou la peau de la volaille avant la cuisson.
- Si vous faites mariner votre viande, égouttez-la avant de la placer sur le gril. Évitez aussi d'ajouter de l'huile à vos marinades.
- Évitez de carboniser les viandes.
- Utilisez la cuisson en papillote pour les aliments délicats.
- L'été, variez les méthodes de cuisson: du barbecue tous les jours, c'est un peu trop!

Les conseils nutritionnels du Fonds mondial de recherche contre le cancer (WCRF)

1. Optez pour une alimentation riche en produits végétaux variés.
2. Mangez des légumes et des fruits en abondance.
3. Maintenez un poids équilibré et pratiquez une activité physique.
4. Si vous consommez de l'alcool, n'en buvez qu'avec modération.
5. Choisissez des aliments pauvres en matières grasses et en sel.
6. Préparez et conservez les aliments avec prudence.

Quelques idées fausses

 Le four à micro-ondes cause le cancer
Faux. Aucun élément actuellement disponible n'indique un tel risque lié à l'utilisation du four à micro-ondes, contrairement à d'autres méthodes de cuisson mal contrôlées (grillade, barbecue, friture...). Le four à micro-ondes permet une cuisson rapide, limitant ainsi les pertes de vitamines et minéraux. Il n'y a donc aucune contre-indication à utiliser cette méthode de cuisson.

 Le lait et les produits laitiers causent le cancer
Faux. Cette idée fausse peut malheureusement pousser certaines personnes à abandonner les produits laitiers (lait, yogourt ou fromage). Or, ces aliments constituent la principale source de calcium dans l'alimentation des Nord-Américains. S'en priver pourrait avoir de lourdes conséquences sur votre santé osseuse. De nombreuses études scientifiques crédibles démontrent les multiples bienfaits des produits laitiers. De plus, certaines études prometteuses avancent le lien entre les ALC, un type de gras des produits laitiers, et la prévention de certains types de cancer.

 Les édulcorants causent le cancer
Faux. À l'heure actuelle, aucun élément scientifique ne peut justifier cette idée. Les premières molécules mises sur le marché, notamment la saccharine, avaient fait l'objet de réserves dans les années 1950. Des travaux expérimentaux sur modèle animal avaient suggéré un effet cancérigène potentiel à très forte dose. Cependant, d'autres substances sont utilisées aujourd'hui (et depuis plusieurs années), qui ne présentent aucun danger en terme de risque de cancer. Il est toutefois recommandé de limiter l'utilisation de ces «faux sucres», qui cultivent l'intérêt pour le goût sucré, et de redécouvrir le vrai goût des aliments.

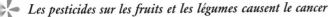

Les pesticides sur les fruits et les légumes causent le cancer

Faux. Aucune étude épidémiologique n'a montré un tel effet. Quoiqu'il ait été démontré que l'exposition à de fortes doses de pesticides a des effets néfastes sur le système endocrinien, sachez que les pesticides font l'objet d'un contrôle strict et ne sont présents qu'à l'état de traces sur les aliments. De plus, les effets bénéfiques d'autres constituants dans les fruits et légumes sont tellement importants qu'ils annulent les effets éventuellement négatifs des pesticides. Une réglementation stricte, des contrôles réguliers et le lavage des produits à la maison permet de diminuer l'exposition aux pesticides. Des aliments biologiques cultivés sans pesticides constituent également une option.

Les suppléments protègent contre le cancer

Faux. Consommer des aliments (notamment des fruits et légumes) riches en vitamines, en minéraux et en antioxydants est un moyen de réduire le risque de certains cancers. En revanche, il n'existe aucun argument scientifiquement démontré pour recommander la prise de suppléments vitaminiques ou minéraux quels qu'ils soient pour se protéger des cancers. Il faut même être prudent sur la prise, à long terme, de fortes doses de suppléments (surtout chez les fumeurs et les personnes à risque).

Les aliments biologiques protègent plus efficacement contre le cancer que les aliments traditionnels

Faux. Il n'existe aucun argument laissant penser que les produits «bio» protégeraient plus efficacement du cancer que les aliments traditionnels. Les études portant sur la consommation d'aliments et la prévention du cancer sont réalisées à partir d'aliments traditionnels, et non bio. Le choix d'aliments biologiques est personnel et constitue certainement un avantage sur les plans de l'environnement, du goût et de la valeur nutritive. Cependant, pour prévenir le cancer, il s'agit de choisir des aliments ayant des effets protecteurs, qu'ils soient bio ou non importe peu.

Source: Alimentation, nutrition et cancer: vérités, hypothèses et idées fausses,
Programme national nutrition et santé, ministère de la Santé,
de la Famille et des Personnes handicapées, France, 2003.

Un poids santé, sans se priver

Il a été démontré que l'obésité augmentait les risques de souffrir de plusieurs cancers, dont ceux du sein, de l'œsophage, du côlon et de l'endomètre. Les tissus adipeux stimuleraient la production d'œstrogènes, des hormones pouvant contribuer au développement de certains cancers.

Les chercheurs et professionnels de la santé s'entendent pour dire que les régimes qui prônent une perte de poids rapide sont largement inefficaces à long terme, en plus d'être dommageables pour la santé physique et psychologique. Le poids perdu trop rapidement est repris tout aussi rapidement lorsqu'on cesse le régime. Vous voulez perdre du poids? Résistez à la tentation de suivre le nouveau régime à la mode. Mangez plutôt des aliments sains, adaptez vos portions à votre appétit, et limitez les aliments superflus, riches en gras et en sucres. Jumelez ces conseils à la pratique de l'activité physique et vous avez la solution pour atteindre et maintenir un poids santé.

Votre corps a besoin d'énergie pour fonctionner et être actif. Si vous le sous-alimentez dans l'espoir de perdre du poids, il réagira à l'opposé. Le poids perdu trop rapidement sera repris en peu de temps. Soyez plus rusé: allez-y doucement en améliorant la qualité de votre alimentation et en diminuant légèrement la grosseur de vos portions.

Poids santé: 5 comportements qui feront la différence

Qu'est-ce qui caractérise votre façon de manger? Au-delà des aliments que vous choisissez, la façon dont vous les mangez influencera votre poids.

Comportements à adopter	Pourquoi?
Mangez lentement et en savourant chaque bouchée.	Pendant un repas, il faut environ 20 minutes à l'organisme pour évaluer vos besoins. Si vous avalez votre repas tout rond, vous risquez de manger trop sans même le ressentir. Déposez votre fourchette pendant une minute dès que vous commencez à manger trop vite.
Faites une pause aux trois quarts de votre repas.	Cette pause vous permettra de sonder votre faim et de laisser des aliments dans votre assiette si l'appétit n'est plus au rendez-vous. Fiez-vous à votre appétit et non à la grosseur des portions, car vos besoins varient de jour en jour. En terminant systématiquement votre assiette, vous risquez de trop manger.

Comportements à adopter	Pourquoi?
Évitez de manger les restes de toute la famille et levez-vous de table lorsque le repas est terminé.	En changeant de pièce, vous serez moins tenté de grignoter çà et là des aliments superflus.
Évitez de manger en faisant autre chose.	Lire ou regarder la télévision occupe votre attention et vous empêche d'être à l'écoute de vos signaux corporels. De plus, vous appréciez moins le goût des aliments et vous aurez envie de continuer à manger même si vous n'avez plus faim. Prenez le temps de vous asseoir dans un endroit calme pour savourer votre repas.
Demandez-vous toujours si vous avez *vraiment* faim avant de grignoter pendant la soirée.	On mange souvent sans avoir faim, par ennui ou par fatigue, ou parce qu'une publicité alléchante passe à la télévision… Méfiez-vous de ces fausses faims! Meublez plutôt vos soirées avec des loisirs actifs au lieu de rester assis devant la télévision.

Un coupe-faim naturel…

Plusieurs recettes présentées dans ce livre sont d'excellentes sources de fibres alimentaires: elles proviennent des fruits, légumes, céréales entières et légumineuses qui les composent. En plus de protéger contre certains types de cancer, les fibres constituent d'excellents «coupe-faim»: elles permettent de soutenir votre appétit plus rapidement et plus longtemps qu'un repas faible en fibres. Elles agissent aussi comme une éponge au niveau de l'intestin et absorbent au passage des molécules de gras pour les éliminer ensuite dans les selles. Les fibres: un ingrédient essentiel à la perte de poids!

Une étude de l'Association pour la santé publique du Québec révèle que plus de 97 % des 215 méthodes populaires de perte de poids disponibles au Québec ne s'appuient sur aucune étude rigoureuse prouvant leur efficacité à long terme.

Comment interpréter la valeur nutritive des aliments?

La lecture de l'information nutritionnelle d'une recette vous donne mal à la tête? Voici quelques points de repère pour mieux décoder ces précieux renseignements.

Les besoins quotidiens

Pour une femme	Pour un homme
• Calories: quantité variable selon l'âge, le poids, la taille, le niveau d'activité... De façon générale, les besoins caloriques des femmes âgées de 25 à 49 ans et pesant 60 kg sont d'environ 2 000 calories par jour.	• Calories: quantité variable selon l'âge, le poids, la taille, le niveau d'activité... De façon générale, les besoins caloriques des hommes âgés de 25 à 49 ans et pesant 80 kg sont d'environ 3 000 calories par jour.
• Matières grasses: 65 g ou moins.	• Matières grasses: 90 g ou moins
• Glucides: de 45 à 65 % des calories consommées dans une journée, soit de 225 g à 325 g de glucides, pour une consommation moyenne d'environ 2 000 calories.	• Glucides: de 45 à 65 % des calories consommées dans une journée, soit de 335 g à 485 g de glucides, pour une consommation moyenne d'environ 3 000 calories.
• Protéines: 0,8 g de protéines par kilo de poids corporel, soit environ 50 g pour une femme de 60 kg.	• Protéines: 0,8 g de protéines par kilo de poids corporel, soit environ 65 g pour un homme de 80 kg.
• Fibres: environ 25 g par jour.	• Fibres: environ 35 g par jour.
• Sodium: environ 2 400 mg par jour.	• Sodium: environ 2 400 mg par jour.
• Oméga-3: 1,1 g par jour.	• Oméga-3: 1,6 g par jour.

La recette idéale... (Valeur nutritive par portion)

• Calories: environ 200 calories pour une collation et 400 calories pour un repas.

• Matières grasses: de 5 à 10 g.

• Glucides: environ 60 g ou moins.

• Protéines: environ 5 g pour une collation et au moins 10 g pour un repas.

• Fibres: 2 g ou plus.

• Sodium: 500 mg ou moins.

• Oméga-3: 0,5 g ou plus.

Le plaisir de bien manger

Qui a dit que manger sainement était une punition? Les recettes de ce livre sont à la fois saines et savoureuses. On peut très bien conjuguer plaisirs de la table et saine alimentation. Tentez l'expérience!

Cependant, ce n'est pas le fait de manger des aliments anti-cancer pendant un mois ou deux qui vous protégera contre cette maladie: c'est le fait d'intégrer chaque jour des aliments anti-cancer à votre alimentation pour le restant de votre vie. Il faut donc trouver des moyens pour que ces nouvelles habitudes soient agréables à long terme. Comment? En ne perdant pas de vue le plaisir de manger. Sans plaisir, le contrôle exercé sur votre alimentation se relâchera peu à peu et vous reviendrez à vos anciennes habitudes. Commencez par les recettes que vous trouvez les plus appétissantes et adaptez-les au besoin, en conservant bien sûr l'aliment ou les aliments anti-cancer qu'elles contiennent.

Dressez-vous une liste de moyens pour améliorer votre santé, à la lumière des conseils des pages précédentes. Fixez-vous ensuite un objectif réaliste et concentrez-vous uniquement sur cet objectif. La semaine suivante, ou lorsque l'objectif est atteint, passez au second sur votre liste. Gardez cette liste à portée de la main: dès que vous avez une nouvelle idée, ajoutez-la à votre liste.

Tous les moyens sont bons, pour autant qu'ils vous plaisent et vous aident à améliorer votre santé. N'essayez pas d'aller trop vite… s'alimenter est un geste quotidien, culturel et personnel. Changer son alimentation demande du temps et de la persévérance. Petit à petit, vous réaliserez de grands changements.

S'alimenter fait partie des plaisirs de la vie et ne devrait pas être une corvée, ne l'oubliez pas! Faites-vous plaisir!

Geneviève O'Gleman

Plaisir et santé!
Geneviève O'Gleman Dt.P.
Nutritionniste

Petits-déjeuners

Crêpes santé garnies de fruits au miel épicé

4 portions * Préparation: 10 min * Cuisson: 15 à 20 min * Attente: aucune

Valeur nutritive par portion

Énergie: 505 Cal/2121 kJ

Protéines: 15 g

Matières grasses: 5 g

Glucides: 110 g

Fibres alimentaires:11 g

Sodium: 118 mg

Oméga-3: 0,1 g

Miel épicé

1/2 tasse (125 ml) de miel

1/4 c. à thé (1 ml) de gingembre moulu

1/4 c. à thé (1 ml) de cannelle moulue

1/4 c. à thé (1 ml) de muscade moulue

Crêpes

2 œufs

1 c. à table (15 ml) de sucre

1/2 c. à thé (2 ml) de vanille

2 tasses (500 ml) de lait

1 1/4 tasse (310 ml) de farine de blé entier

1/3 tasse (80 ml) de flocons de son de blé (Bran Flakes), broyés

1/4 tasse (60 ml) de son d'avoine

Garniture

1 tasse (250 ml) de framboises

2 poires coupées en morceaux

1. Mélanger le miel et les épices dans un bol allant au micro-ondes. Réserver.
2. Dans un bol, battre les œufs avec le sucre, la vanille et le lait.
3. Dans un autre bol, mélanger la farine, les flocons de son de blé et le son d'avoine. Faire un puits au centre des ingrédients secs et y verser le mélange à base d'œufs. Mélanger jusqu'à ce que la pâte soit lisse.
4. Chauffer une poêle antiadhésive à feu moyen. Y verser un peu de pâte à crêpes à l'aide d'une petite louche et l'étendre avec le dos de la louche. Cuire environ 2 minutes de chaque côté ou jusqu'à ce que la crêpe soit bien dorée. Répéter cette étape avec le reste de la pâte à crêpes.
5. Garnir les crêpes de framboises et de poires.
6. Chauffer le mélange de miel réservé environ 1 minute au micro-ondes et le répartir sur les crêpes. Servir aussitôt.

FLASH ANTI-CANCER

Selon plusieurs études, les fibres protégeraient contre certains types de cancer. Elles agiraient indirectement en aidant à maintenir un poids santé, un facteur de protection contre le cancer. Elles amélioreraient aussi la sensibilité à l'insuline, un autre facteur de protection. De plus, les aliments riches en fibres sont souvent riches en antioxydants et autres éléments bénéfiques, comme les isoflavones et les lignanes. Chose certaine, en attendant de connaître leur rôle exact, on ne perd rien à en manger!

Truc santé

Ces crêpes santé riches en fibres se servent à toutes les sauces. En version salée, omettez le sucre et la vanille, et ajoutez un peu de sel et de fines herbes. Garnissez de fromage, de sauce béchamel, d'épinards, d'asperges, de jambon, de crevettes… selon votre goût et ce qu'il y a dans votre frigo!

Müesli à grignoter

12 portions * Préparation: 5 min * Cuisson: 20 min * Attente: 10 min

Valeur nutritive par portion

Énergie:
139 Cal/580 kJ

Protéines: 5 g

Matières grasses: 3 g

Glucides: 25 g

Fibres alimentaires: 6 g

Sodium: 35 mg

Oméga-3: 0,4 g

2 blancs d'œufs

2 c. à table (30 ml) d'eau

1/4 tasse (60 ml) de miel ou de sirop d'érable

1/2 c. à thé (2 ml) de vanille

2 tasses (500 ml) de flocons d'avoine

1 c. à thé (5 ml) de cannelle moulue

1/2 c. à thé (2 ml) de muscade moulue

1/4 c. à thé (1 ml) de sel

1 tasse (250 ml) de flocons de son de blé (Bran Flakes)

1/2 tasse (125 ml) de germe de blé

1/4 tasse (60 ml) de graines de lin moulues

1/4 tasse (60 ml) de noix de Grenoble

1/4 tasse (60 ml) d'abricots séchés, hachés

1/4 tasse (60 ml) de dattes dénoyautées, hachées

1. Dans un petit bol, fouetter légèrement les blancs d'œufs, l'eau, le miel et la vanille.
2. Dans un grand bol, mélanger les flocons d'avoine, la cannelle, la muscade, le sel, les flocons de son, le germe de blé et les graines de lin. Ajouter la préparation de blancs d'œufs aux céréales et mélanger. Étendre sur une plaque de cuisson.
3. Cuire au four préchauffé à 375°F (190°C) 20 minutes ou jusqu'à ce que le dessus de la préparation soit doré. Retirer du four et laisser refroidir complètement.
4. Pendant ce temps, dans une poêle, faire griller les noix à feu moyen environ 5 minutes ou jusqu'à ce qu'elles commencent à dégager leur parfum. Retirer du feu.
5. Concasser les céréales avec les doigts en formant des grappes. Ajouter les noix, les abricots et les dattes, et mélanger.

FLASH ANTI-CANCER

La noix de Grenoble figure parmi les sources végétales d'oméga-3, un acide gras essentiel dont les bienfaits sur la santé du cœur sont reconnus. On arrive à combler nos besoins quotidiens en oméga-3 en consommant 2 cuillerées à table (30 ml) de noix de Grenoble. Selon un nombre grandissant d'études, les oméga-3 joueraient également un rôle dans la prévention du cancer du sein, de la prostate et du côlon.

Truc santé

Créez un müesli à votre goût! Vous pouvez remplacer les ingrédients par ceux que vous préférez, en respectant toutefois les proportions de céréales, de noix et de fruits. Mettez-y des noisettes, des graines de tournesol, des raisins secs, des canneberges séchées… Les possibilités sont infinies! Conservez-le dans un contenant hermétique. Et grignotez tel quel ou parsemez-en sur un yogourt ou une portion de compote de pommes.

EXCELLENTE SOURCE
DE FIBRES
ALIMENTAIRES!

Muffins-surprises

12 petits muffins * Préparation: 10 min * Cuisson: 15 à 17 min * Attente: aucune

Valeur nutritive par portion

Énergie: 143 Cal/597 kJ

Protéines: 6 g

Matières grasses: 5 g

Glucides: 26 g

Fibres alimentaires: 4 g

Sodium: 70 mg

Oméga-3: 1,0 g

2 tasses (500 ml) de son d'avoine

1/3 tasse (80 ml) de farine de blé entier

1 c. à table (15 ml) de poudre à pâte

1/4 c. à thé (1 ml) de sel

1/4 c. à thé (1 ml) de cannelle moulue

1/4 tasse (60 ml) de lait en poudre

1 tasse (250 ml) de lait écrémé

1/4 tasse (60 ml) de cassonade

1 œuf battu

3 c. à table (45 ml) d'huile de canola

2 bananes mûres, écrasées

1 tasse (250 ml) de bleuets frais ou surgelés, décongelés et égouttés

1 c. à table (15 ml) de sirop d'érable

1. Dans un grand bol, mélanger tous les ingrédients secs. Ajouter le lait écrémé, la cassonade, l'œuf, l'huile et les bananes. Mélanger juste assez pour humecter les ingrédients secs.
2. Dans un petit bol, mélanger les bleuets et le sirop d'érable.
3. Remplir à moitié douze moules à muffins antiadhésifs. Faire un puits au milieu de la pâte et ajouter environ 1 c. à table (15 ml) du mélange de bleuets. Couvrir du reste de la pâte de façon à dissimuler les bleuets.
4. Cuire au four préchauffé à 425 °F (220 °C) de 15 à 17 minutes ou jusqu'à ce que les muffins soient dorés et qu'un cure-dents inséré au centre d'un muffin en ressorte propre.

FLASH ANTI-CANCER

En plus d'être une bonne source de fibres, ces muffins cachent une petite surprise: des bleuets. Le bleuet renferme un pigment bleu foncé, parfois presque noir, auquel on attribue la plupart des propriétés médicinales de cette baie. Plusieurs études ont établi un lien entre les antioxydants et la prévention des maladies cardiaques, du cancer, des cataractes et autres maladies liées au vieillissement. De plus, comme la canneberge, le bleuet aurait des propriétés antibactériennes qui préviendraient les infections urinaires.

Truc santé

Saviez-vous que les muffins que vous préparez vous-même sont bien différents de ceux que vous achetez dans le commerce? Ces derniers contiennent de deux à trois fois plus de gras et de sucre que les muffins maison et sont souvent faits avec du shortening végétal, une source de gras trans dommageables pour la santé. Une bonne raison de cuisiner maison vos muffins et collations!

BONNE SOURCE
DE FIBRES
ALIMENTAIRES
ET D'OMÉGA-3!

Omelette renversée aux canneberges et au poireau

4 portions ✳ Préparation: 5 min ✳ Cuisson: 15 min ✳ Attente: aucune

8 œufs oméga-3

1/4 tasse (60 ml) d'eau

1/4 c. à thé (1 ml) de muscade moulue

2 c. à thé (10 ml) d'huile de canola

3/4 tasse (180 ml) de canneberges fraîches ou surgelées, décongelées

3/4 tasse (180 ml) de blanc de poireau émincé

2 c. à table (30 ml) de sirop d'érable, de cassonade ou de miel

sel et poivre du moulin, au goût

1. Dans un bol, battre les œufs avec l'eau et la muscade. Saler et poivrer généreusement. Réserver.
2. Dans une grande poêle antiadhésive, chauffer l'huile à feu moyen. Ajouter les canneberges et le poireau, et faire revenir de 4 à 5 minutes. Assaisonner. Ajouter le sirop d'érable pour réduire l'amertume des canneberges et poursuivre la cuisson 2 minutes.
3. Verser le mélange d'œufs dans la poêle, sur la préparation de canneberges. Cuire à couvert, à feu doux, jusqu'à la cuisson désirée.
4. Pour démouler, déposer une grande assiette à l'envers sur la poêle, puis retourner rapidement de façon à renverser l'omelette dans l'assiette (utiliser des linges secs pour éviter les brûlures).
5. Répartir l'omelette dans les assiettes et servir aussitôt avec des fruits frais en accompagnement.

FLASH ANTI-CANCER

De nombreuses études ont observé que la canneberge, ou atoca, permet de prévenir la récurrence des infections urinaires par son effet antibactérien. Par ailleurs, la canneberge contient aussi un antioxydant, la proanthocyanidine, qui a des effets bénéfiques sur la santé du cœur et des effets préventifs contre le cancer.

Truc santé
Saviez-vous qu'on peut consommer jusqu'à sept œufs par semaine sans problème si on est en bonne santé? Par contre, si on souffre d'une maladie cardiaque ou qu'on a déjà un cholestérol sanguin élevé, on devrait se limiter à trois ou quatre œufs par semaine. De nombreuses études scientifiques ont démontré que ce ne sont pas les œufs qu'il faut restreindre, mais bien les accompagnements classiques de l'œuf. Avis aux amateurs de bacon, saucisses et cretons…

EXCELLENTE SOURCE D'OMÉGA-3!

Sandwichs ouverts aux pommes, canneberges et noix de Grenoble

4 portions * Préparation: 5 min * Cuisson: 5 min * Attente: aucune

Valeur nutritive par portion

Énergie: 299 Cal/1256 kJ

Protéines: 13 g

Matières grasses: 17 g

Glucides: 27 g

Fibres alimentaires: 4 g

Sodium: 312 mg

Oméga-3: 1,0 g

4 tranches de pain multigrain croûté

1 pomme, coupée en tranches fines

1/3 tasse (80 ml) de canneberges séchées

1/3 tasse (80 ml) de noix de Grenoble hachées

1 tasse (250 ml) de cheddar fort râpé

1. Faire griller les tranches de pain, puis les couvrir de tranches de pomme. Répartir ensuite les canneberges et les noix de Grenoble sur les pommes. Garnir de fromage.

2. Passer quelques minutes sous le gril du four (à broil) pour faire fondre le fromage. Servir aussitôt.

FLASH ANTI-CANCER

Selon des études *in vitro*, la canneberge aurait un effet préventif sur les cancers du poumon et du côlon, et sur certains types de leucémie. Saviez-vous que les canneberges entières ou séchées contiennent beaucoup plus de molécules anti-cancer que le jus de canneberge pur?

Truc santé

Au Canada, une personne sur quatre ne déjeune pas ou se contente d'un café pour démarrer la journée. Or, l'importance de bien manger le matin ne fait plus de doute. Bien déjeuner vous assure énergie et efficacité pour le reste de la journée. De plus, on sait maintenant qu'il est plus facile de maintenir ou d'atteindre un poids santé lorsqu'on prend un petit-déjeuner équilibré.

Collations

Chips de patates douces

4 portions * Préparation: 5 min * Cuisson: 5 min * Attente: 10 min

Valeur nutritive par portion de 1 tasse (250 ml)
Énergie: 56 Cal/233 kJ
Protéines: 1 g
Matières grasses: 0 g
Glucides: 13 g
Fibres alimentaires: 2 g
Sodium: 36 mg
Oméga-3: 0 g

2 patates douces moyennes

eau

assaisonnements au choix (épices cajun, poudre d'ail, herbes de Provence, paprika, poivre,…)

1. Couper les patates douces sur la largeur en tranches très fines à l'aide d'une mandoline ou d'un couteau. Étendre une vingtaine de tranches sur une plaque allant au micro-ondes et les asperger d'eau avec les doigts.
2. Cuire 4 minutes à puissance maximale. Retourner les tranches et poursuivre la cuisson 1 minute à puissance maximale. Laisser reposer 10 minutes avant d'assaisonner pour donner aux chips le temps de sécher et de devenir plus croustillantes.
3. Cuire le reste des tranches de patates douces de la même manière.

Note: Le temps de cuisson peut varier selon la puissance du micro-ondes.

FLASH ANTI-CANCER

L'activité antioxydante des composés phénoliques pourrait avoir un effet protecteur contre plusieurs maladies dégénératives liées au vieillissement, dont le cancer, les maladies cardiaques et la maladie d'Alzheimer. Dans la patate douce, la quantité d'acides phénoliques est plus élevée dans la pelure que dans la chair.

Truc santé
Une petite envie de grignoter? Essayez ces chips sans gras: un vrai régal! D'autant plus que la même portion de chips du commerce contient environ 10 g de gras. La patate douce a aussi l'avantage d'être plus nutritive que la pomme de terre, car elle est plus riche en amidon et renferme plus de vitamines et de minéraux.

Hummus maison

6 portions * Préparation: 5 min * Cuisson: aucune * Attente: aucune

Valeur nutritive par portion de 1/2 tasse (125 ml)

Énergie: 128 Cal/533 kJ

Protéines: 5 g

Matières grasses: 3 g

Glucides: 21 g

Fibres alimentaires: 4 g

Sodium: 164 mg

Oméga-3: 0 g

1 boîte de 19 oz (540 ml) de pois chiches, rincés et égouttés

1/2 tasse (125 ml) de yogourt nature sans gras

2 c. à table (30 ml) de jus de citron

2 c. à thé (10 ml) d'ail haché finement

2 c. à thé (10 ml) d'huile d'olive

1 c. à table (15 ml) d'eau

1/2 c. à thé (2 ml) de cumin moulu

1 pincée de piment de Cayenne

sel et poivre, au goût

1. Au robot culinaire, réduire tous les ingrédients en purée lisse et onctueuse.
2. Servir avec des crudités ou des triangles de pain pita de blé entier.

FLASH ANTI-CANCER

Riches en fibres et en protéines et faibles en gras, les légumineuses contribuent au maintien ou à l'atteinte d'un poids santé. On sait que le maintien d'un poids santé et l'activité physique jouent un rôle crucial dans la prévention du cancer. Alors, remplacez vos trempettes riches en gras — à base de mayonnaise ou de crème sure et celles du commerce — par cette trempette aux pois chiches: c'est un choix savoureux et un pas de plus vers une alimentation saine.

Truc santé

Les hummus du commerce sont pratiques, mais ils peuvent contenir jusqu'à 15 g de gras par portion. Essayez cette version allégée rapide à préparer. Si vous n'avez pas l'habitude de manger des légumineuses, cette recette est une excellente façon de les introduire dans votre alimentation. Votre organisme s'habituera à les digérer, et les effets indésirables s'effaceront progressivement.

Smoothie aux fruits

4 portions * Préparation: 5 min * Cuisson: aucune * Attente: aucune

Valeur nutritive par portion de 1 tasse (250 ml)

Énergie: 132 Cal/556 kJ

Protéines: 5 g

Matières grasses: 0 g

Glucides: 29 g

Fibres alimentaires: 2 g

Sodium: 38 mg

Oméga-3: 0 g

1 tasse (250 ml) de yogourt aux fraises sans gras

1 tasse (250 ml) de fraises fraîches coupées en quatre

1 tasse (250 ml) de morceaux d'ananas frais

1 kiwi mûr, pelé et coupé en quatre

1 tasse (250 ml) de jus d'orange

4 cubes de glace

1. Verser le yogourt dans le récipient d'un mélangeur. Ajouter les fraises, l'ananas, le kiwi et le jus d'orange, et mélanger jusqu'à ce que la préparation soit homogène.

2. Ajouter les cubes de glace et mélanger pour bien les concasser.

3. Répartir dans quatre verres glacés et servir.

FLASH ANTI-CANCER

Les petits fruits rouges comme les fraises et les framboises contiennent de l'acide ellagique, une substance qui semble avoir des effets prometteurs pour la prévention de certains cancers chez les animaux. Les chercheurs tentent de savoir si cet acide a des effets semblables chez les humains. Entre-temps, on ne perd rien à consommer des petits fruits puisqu'ils regorgent de fibres et de vitamines!

Truc santé

Mangue, pêche, banane, bleuets… osez varier les fruits! En respectant les quantités, votre succès est assuré. Choisissez de préférence du yogourt qui contient des Lactobacillus acidophilus ou des Bifidus, deux «bonnes» bactéries probiotiques qui contribuent à la santé intestinale.

Tartinade au tofu à la thaïe

Donne 2 tasses (500 ml) * Préparation: 10 min * Cuisson: aucune * Attente: aucune

Valeur nutritive par portion de 1/3 tasse (80 ml) avec quatre toasts Melba de blé entier

Énergie: 118 Cal/491 kJ

Protéines: 8 g

Matières grasses: 2 g

Glucides: 18 g

Fibres alimentaires: 3 g

Sodium: 374 mg

Oméga-3: 0,3 g

1 paquet de 10 oz (300 g) de tofu ferme, égoutté

1 carotte, coupée en quatre

1/2 c. à thé (2 ml) d'ail haché

1/4 d'oignon rouge

1/4 tasse (60 ml) de coriandre fraîche

2 c. à thé (10 ml) de zeste de lime râpé

2 c. à table (30 ml) de jus de lime

2 c. à table (30 ml) de tamari ou sauce soja

1/4 c. à thé (1 ml) de piment de Cayenne

sel et poivre, au goût

1. Au robot culinaire, mélanger tous les ingrédients jusqu'à ce que la préparation soit onctueuse. Rectifier l'assaisonnement, au besoin.
2. Tartiner sur des craquelins faibles en gras ou sur des toasts Melba de blé entier.

FLASH ANTI-CANCER

Selon plusieurs études, l'incidence de cancer serait moins élevée chez les végétariens, notamment les cancers de la bouche, du pharynx, de l'estomac, du pancréas, du gros intestin, du sein, des ovaires et de la vessie. La consommation de substituts de viande comme les légumineuses et le soja pourrait en partie expliquer ces résultats. Habituellement, les végétariens consomment aussi plus de fruits et de légumes et moins de matières grasses. Sans nécessairement devenir végétarien du jour au lendemain, vous pourriez remplacer chaque semaine quelques repas de viande par des repas sans viande.

Truc santé
À la recherche d'un lunch santé et vite fait? Étendez une généreuse portion de cette tartinade sur une tortilla de blé entier, ajoutez des tomates en cubes et une feuille de laitue, et roulez: votre wrap végé est prêt à déguster. Quelle bonne idée!

Tchaï électrisant

4 portions ＊ Préparation: 2 min ＊ Cuisson: aucune ＊ Attente: 10 min

Valeur nutritive par portion de 3/4 tasse (180 ml)

Énergie: 53 Cal/223 kJ

Protéines: 5 g

Matières grasses: 2 g

Glucides: 4 g

Fibres alimentaires: 0 g

Sodium: 48 mg

Oméga-3: 0 g

1 sachet de thé vert japonais

1/2 tasse (125 ml) d'eau bouillante

2 tasses (500 ml) de boisson de soja à la vanille

1 c. à thé (5 ml) de gingembre frais haché

1/2 c. à thé (2 ml) de cannelle moulue

1/2 c. à thé (2 ml) de cardamome moulue

1 pincée de poivre moulu

6 cubes de glace

1. Laisser infuser le thé dans l'eau environ 10 minutes. Jeter le sachet, puis verser le thé dans le récipient d'un mélangeur.

2. Ajouter la boisson de soja, les épices et les cubes de glace, et mélanger pour concasser la glace.

3. Servir dans des verres préalablement refroidis au congélateur.

FLASH ANTI-CANCER

La consommation de thé vert serait efficace pour prévenir certains types de cancer. Des résultats *in vitro* (en laboratoire) prometteurs laissent croire à un effet préventif sur les cancers du rein, de la peau, du sein, du poumon, de l'œsophage, de l'estomac, du côlon, de la vessie et de la prostate. Le thé vert contient plus d'antioxydants que les autres thés, dont le thé noir. Ce dernier a perdu l'essentiel de ses propriétés pendant la fermentation et le séchage. Les thés verts japonais (gyokuro, sencha, sencha-uchiyama) seraient les plus riches en composés actifs. Il est recommandé de l'infuser au moins 10 minutes pour obtenir le maximum de bienfaits.

Truc santé

Cette boisson est un véritable coup de fouet et permet de retrouver la forme l'après-midi. Le tchaï, ou thé masala, est une boisson traditionnelle de l'Inde. Il se prépare aussi avec du lait plutôt que de la boisson de soja. Il y a autant de recettes de tchaï que de personnes qui l'apprécient. À vous de doser les épices pour créer un tchaï à votre goût! Vous pouvez également lui ajouter de l'anis étoilé ou du clou de girofle moulus.

Trempette aux haricots rouges à l'aneth

10 portions ✳ Préparation: 5 min ✳ Cuisson: aucune ✳ Attente: aucune

Valeur nutritive par portion de 1/4 tasse (60 ml) avec 1/2 tasse (125 ml) de crudités

Énergie: 65 Cal/272 kJ

Protéines: 4 g

Matières grasses: 1 g

Glucides: 12 g

Fibres alimentaires: 3 g

Sodium: 198 mg

Oméga-3: 0 g

1 boîte de 19 oz (540 ml) de haricots rouges, rincés et égouttés

1 c. à thé (5 ml) d'ail haché

1/2 c. à thé (2 ml) de poivre moulu

1/2 c. à thé (2 ml) de cumin moulu

2 c. à thé (10 ml) d'aneth séché ou 2 c. à table (30 ml) d'aneth frais

1 trait de Tabasco

1/2 tasse (125 ml) de yogourt nature sans gras

1 c. à table (15 ml) de jus de citron

sel, au goût

1. Au robot culinaire, mélanger tous les ingrédients jusqu'à ce que la préparation soit lisse et onctueuse. Rectifier l'assaisonnement, au besoin.
2. Servir avec des crudités variées.

FLASH ANTI-CANCER

Saviez-vous que la concentration en composés anti-cancer des fruits et des légumes diminue de jour en jour à partir du moment de la cueillette? Pour que vos fruits et vos légumes vous procurent un effet anti-cancer maximal, il faut les acheter aussi frais que possible. L'été, fréquentez les marchés publics et les kiosques de producteurs maraîchers. Hors saison, privilégiez les fruits et les légumes surgelés: ils ont gardé toute leur fraîcheur puisqu'ils sont surgelés quelques heures seulement après leur cueillette.

Truc santé

Les haricots rouges donnent de l'onctuosité à cette trempette sans lui ajouter de matière grasse. En prime, ils fournissent des protéines et des fibres, deux éléments qui soutiennent l'appétit plus longtemps. Vous aurez faim moins vite en vous servant cette trempette aux légumineuses qu'avec la même quantité de trempette à base de mayonnaise ou de crème sure. Un avantage qui a du poids!

Soupes et potages

Potage à la courge

4 portions * Préparation: 15 min * Cuisson: 1 h 10 min * Attente: aucune

Valeur nutritive par portion

Énergie: 257 Cal/1077 kJ

Protéines: 11 g

Matières grasses: 8 g

Glucides: 41 g

Fibres alimentaires: 6 g

Sodium: 110 mg

Oméga-3: 0,3 g

2 lb (1 kg) de courge (Buttercup, musquée ou poivrée)

1 c. à table (15 ml) d'huile de canola

2 gousses d'ail non pelées

2 tasses (500 ml) de lait

1/2 tasse (125 ml) de lait écrémé en poudre

2 c. à table (30 ml) de miel ou de sirop d'érable

1/2 c. à thé (2 ml) de muscade fraîchement râpée

sel et poivre, au goût

1/4 tasse (60 ml) d'amandes effilées, grillées

1. Couper la courge en deux, l'épépiner, piquer la chair à la fourchette et la badigeonner d'huile. Déposer sur une plaque de cuisson, sur la pelure. Ajouter les gousses d'ail sur la plaque. Cuire au four préchauffé à 350 °F (180 °C) de 45 minutes à 1 heure ou jusqu'à ce que la courge soit tendre.
2. Au mélangeur, réduire la chair de la courge en purée. Ajouter un peu d'eau, au besoin.
3. Verser la purée de courge dans une casserole, ajouter le lait, le lait en poudre, le miel et les assaisonnements. Peler les gousses d'ail et les ajouter au potage. Bien mélanger et réchauffer (ne pas porter à ébullition après l'ajout de lait).
4. Servir chaque portion de potage garnie d'amandes effilées.

FLASH ANTI-CANCER

Citrouilles et courges d'hiver sont riches en bêta-carotène, une substance aux propriétés anti-cancer, notamment en ce qui concerne le cancer de la prostate et possiblement celui du poumon. En fait, tous les fruits et les légumes orangés sont de bons choix à ajouter sur la liste d'épicerie. Leur couleur indique leur richesse en antioxydants et en vitamines. Et ils sont beaucoup plus savoureux qu'un supplément!

Truc santé

La cuisson au four concentre la saveur de la courge tout en limitant les pertes de vitamines. Pour rehausser la valeur nutritive de ce potage, on lui ajoute 1/2 tasse (125 ml) de lait écrémé en poudre. Cet ajout le rend plus crémeux, tout en l'enrichissant en protéines et en calcium. Résultat: le potage est aussi une excellente source de calcium puisqu'il en apporte 385 mg par portion.

Soupe à l'oignon gratinée

4 portions ＊ Préparation: 10 min ＊ Cuisson: 50 min ＊ Attente: aucune

Valeur nutritive par portion

Énergie: 216 Cal/905 kJ

Protéines: 10 g

Matières grasses: 7 g

Glucides: 26 g

Fibres alimentaires: 3 g

Sodium: 266 mg

Oméga-3: 0 g

1 c. à thé (5 ml) d'huile d'olive

3 oignons, coupés en lamelles

1 blanc de poireau, haché

2 gousses d'ail, hachées

1 tasse (250 ml) de vin rouge

4 tasses (1 L) d'eau

4 brins de thym frais

4 tranches de pain multigrain, grillées

1/2 tasse (125 ml) de fromage mozzarella partiellement écrémé râpé

1/4 tasse (60 ml) de gruyère râpé

1. Dans une casserole, chauffer l'huile à feu moyen. Ajouter les oignons, le poireau et l'ail, et faire revenir jusqu'à ce qu'ils soient légèrement colorés.

2. Déglacer avec le vin rouge, puis ajouter l'eau et le thym. Porter à ébullition. Réduire le feu et laisser mijoter de 30 à 40 minutes afin de concentrer les saveurs.

3. Au moment de servir, répartir la soupe dans des bols creux et étroits prévus pour la soupe à l'oignon. Garnir chaque portion d'une tranche de pain grillée, puis de fromage râpé. Faire gratiner le fromage sous le gril du four (à broil).

FLASH ANTI-CANCER

Une trop faible consommation d'ail, d'oignons et de poireau est associée à un risque plus élevé de cancer de l'estomac. L'ail protégerait aussi contre les effets des nitrites, un additif cancérigène qui sert à prolonger la durée de conservation des marinades, des charcuteries et viandes fumées. L'allicine est le principal composé actif de l'ail. Cependant, des études ont démontré que l'allicine sous forme de comprimés (suppléments) est inactive. Alors, mieux vaut cuisiner l'ail frais et le déguster dans vos recettes.

Truc santé

La soupe à l'oignon gratinée, un repas santé? Eh bien oui, à condition de limiter l'huile utilisée pour colorer les légumes, d'y aller mollo sur le fromage (respectez les quantités demandées dans la recette) et de choisir du pain de grains entiers. Ces petites astuces ont transformé une soupe gourmande en un plat sain et nourrissant. Quand vous achetez du pain tranché, lisez bien le tableau d'information nutritionnelle sur l'emballage et choisissez de préférence un pain qui contient au moins 3 g de fibres alimentaires par tranche.

Soupe au pistou

6 portions ❊ Préparation: 15 min ❊ Cuisson: 1 h ❊ Attente: aucune

Valeur nutritive par portion

Énergie: 213 Cal/889 kJ

Protéines: 10 g

Matières grasses: 6 g

Glucides: 33 g

Fibres alimentaires: 11 g

Sodium: 492 mg

Oméga-3: 0,4 g

Soupe

1 oignon, haché finement

1 courgette (zucchini), coupée en dés

1/2 tasse (125 ml) de poireau haché

1/2 navet coupé en dés

2 tomates, coupées en dés

2 carottes, coupées en dés

1 tasse (250 ml) de haricots verts coupés en tronçons de 1 po (2,5 cm)

3 tasses (750 ml) de haricots rouges et blancs en conserve, rincés et égouttés

1/2 tasse (125 ml) de petites nouilles (coquilles, vermicelles coupés, étoiles)

Pistou

2 à 3 gousses d'ail

1 bouquet de basilic frais

2 c. à table (30 ml) d'huile d'olive

2 c. à table (30 ml) de parmesan frais, râpé

sel, au goût

1. Dans une grande casserole, mettre tous les légumes, sauf les haricots rouges et blancs. Couvrir d'eau et porter à ébullition. Réduire le feu et laisser mijoter pendant 1 heure.

2. Pendant ce temps, préparer le pistou. Dans un mortier, écraser l'ail avec le basilic. Transvider dans un bol et verser l'huile en filet en mélangeant vigoureusement. Ajouter le parmesan et saler au goût. Conserver au réfrigérateur jusqu'au moment de servir.

3. Environ 15 minutes avant la fin de la cuisson des légumes, ajouter les haricots rouges et blancs et les nouilles. Bien mélanger et poursuivre la cuisson jusqu'à ce que les nouilles soient tendres.

4. Servir chaque portion de soupe garnie d'une cuillerée de pistou.

FLASH ANTI-CANCER

La tomate est riche en caroténoïdes, dont fait partie le lycopène, le pigment qui donne sa couleur rouge à la tomate. Pour profiter au maximum des effets anti-cancer du lycopène, on doit consommer la tomate cuite. La cuisson brise les cellules de la tomate, libère le lycopène et facilite son absorption par l'organisme.

Truc santé

Cette soupe typique de la cuisine provençale est la cousine française de la minestrone italienne. Elle déborde de légumes, et le pistou lui donne un air d'été. Variez les légumes selon les arrivages du marché en y ajoutant des poivrons, du fenouil, des épinards ou de la bette à carde. À vous de créer votre propre recette, en veillant cependant à respecter les proportions de légumes, de produits céréaliers (pâtes ou riz) et de légumineuses afin d'obtenir une valeur nutritive équivalente.

Soupe d'hiver aux lentilles

6 portions ∗ Préparation: 10 min ∗ Cuisson: 40 min ∗ Attente: aucune

Valeur nutritive par portion

Énergie: 187 Cal/781 kJ

Protéines: 12 g

Matières grasses: 1 g

Glucides: 34 g

Fibres alimentaires: 12 g

Sodium: 448 mg

Oméga-3: 0,1 g

1 c. à thé (5 ml) d'huile d'olive

2 oignons, hachés

2 carottes, râpées

2 branches de céleri, hachées

3 tasses (750 ml) de bouillon de poulet réduit en sodium

1 tasse (250 ml) de lentilles sèches, brunes ou du Puy

1 boîte de 28 oz (796 ml) de tomates italiennes en dés

sel et poivre, au goût

1 c. à thé (5 ml) de thym frais haché

1/4 tasse (60 ml) de porto (facultatif)

1. Dans une grande casserole, chauffer l'huile à feu moyen. Ajouter les oignons, les carottes et le céleri, et faire revenir environ 5 minutes.
2. Ajouter le bouillon de poulet et les lentilles, et laisser mijoter environ 30 minutes ou jusqu'à ce que les lentilles soient tendres. Ajouter les tomates, saler et poivrer. Poursuivre la cuisson quelques minutes.
3. Au moment de servir, ajouter le thym et le porto.

FLASH ANTI-CANCER

Selon une étude américaine, les femmes qui consomment des légumineuses (haricots rouges, pois chiches, lentilles) de deux à quatre fois par semaine diminueraient de 24 % leur risque d'être atteintes d'un cancer du sein, comparativement à celles qui en mangent moins d'une fois par mois. Est-ce parce que les légumineuses ont une teneur élevée en fibres alimentaires, qu'elles sont faibles en gras par rapport à la viande ou qu'elles contiennent une substance anti-cancer particulière? C'est ce que les chercheurs tentent de déterminer.

Truc santé

Saviez-vous que, de toutes les légumineuses, la lentille est l'une des plus riches en protéines et en fer et la plus pauvre en matières grasses? Pour tirer parti de cette valeur nutritive remarquable, pourquoi ne pas préparer cette soupe en grande quantité? En la congelant en portions individuelles, vous aurez des repas nutritifs prêts à savourer.

Soupe-repas thaïe

4 portions * Préparation: 20 min * Cuisson: 30 min * Attente: aucune

Valeur nutritive par portion

Énergie: 299 Cal/1255 kJ

Protéines: 23 g

Matières grasses: 5 g

Glucides: 40 g

Fibres alimentaires: 3 g

Sodium: 485 mg

Oméga-3: 0 g

1 c. à table (15 ml) d'huile de sésame

2 gousses d'ail, hachées

2 c. à table (30 ml) de gingembre frais haché

6 tasses (1,5 L) de bouillon de poulet réduit en sodium

2 c. à table (30 ml) de sauce soja ou tamari

2 c. à table (30 ml) de jus de citron

1/2 c. à thé (2 ml) de flocons de piment fort (ou 1/4 c. à thé/1 ml de Tabasco) (facultatif)

2 tasses (500 ml) de légumes hachés, au choix (carottes, poivrons, oignons verts, céleri, pois mange-tout, brocoli, chou chinois,…)

1 1/2 tasse (375 ml) de poulet cuit ou de crevettes cuites

1 tasse (250 ml) de vermicelle de riz

2 tasses (500 ml) de fèves germées

1/2 tasse (125 ml) de coriandre fraîche hachée

1. Dans une grande casserole, chauffer l'huile à feu moyen. Ajouter l'ail et le gingembre, et faire revenir quelques minutes. Ajouter le bouillon de poulet, la sauce soja, le jus de citron et les flocons de piment fort. Porter à ébullition.
2. Ajouter les légumes hachés et laisser mijoter de 10 à 15 minutes ou jusqu'à ce qu'ils soient tendres.
3. Ajouter le poulet ou les crevettes et le vermicelle de riz, et poursuivre la cuisson de 2 à 3 minutes ou jusqu'à ce que le vermicelle soit tendre.
4. Servir chaque portion de soupe garnie de fèves germées et de coriandre.

FLASH ANTI-CANCER

Les fruits et les légumes regorgent d'éléments anti-cancer. L'association entre la consommation quotidienne d'au moins cinq portions de fruits et légumes et la prévention des cancers du tube digestif (bouche, œsophage, estomac, côlon, rectum), du sein et du poumon est très bien documentée.

Truc santé

Cette soupe aux saveurs asiatiques contient une abondance de légumes colorés. Vous manquez de temps? Achetez des légumes frais déjà coupés ou un mélange de légumes à l'asiatique surgelés et optez pour des crevettes surgelées précuites: votre soupe sera prête en moins de 15 minutes.

Salades et entrées

Salade de brocoli et de chou-fleur, vinaigrette crémeuse

4 portions * Préparation: 10 min * Cuisson: aucune * Attente: 15 min

Valeur nutritive par portion

Énergie: 312 Cal/1309 kJ

Protéines: 8 g

Matières grasses: 16 g

Glucides: 42 g

Fibres alimentaires: 6 g

Sodium: 198 mg

Oméga-3: 1,7 g

1/2 tasse (125 ml) de yogourt nature

1/4 tasse (60 ml) de mayonnaise

1/4 tasse (60 ml) de persil frais haché

2 c. à table (30 ml) de jus de citron

1/2 c. à thé (2 ml) de paprika

sel et poivre du moulin, au goût

2 tasses (500 ml) de petits bouquets de brocoli

2 tasses (500 ml) de petits bouquets de chou-fleur

1/3 tasse (80 ml) d'oignon rouge émincé

1 tasse (250 ml) de raisins secs

1/2 tasse (125 ml) de noix de Grenoble hachées grossièrement

1. Dans un saladier, mélanger le yogourt, la mayonnaise, le persil, le jus de citron et le paprika. Saler et poivrer.

2. Ajouter le reste des ingrédients et bien remuer. Laisser reposer 15 minutes à la température ambiante avant de servir.

Note: Si vous le souhaitez, vous pouvez blanchir le brocoli et le chou-fleur quelques minutes dans une casserole d'eau bouillante. Ils seront plus tendres, mais encore croquants et nutritifs.

FLASH ANTI-CANCER

On sous-estime souvent le brocoli. Loin d'être banal, il regorge de vitamines et de minéraux, et est particulièrement riche en vitamine C, qui favorise l'absorption du fer des aliments. Le brocoli a aussi des propriétés anticancéreuses, grâce à sa teneur élevée en bêta-carotène, en indoles, en fibres alimentaires et autres pigments antioxydants. Certaines études avancent que la consommation de brocoli préviendrait les ulcères d'estomac causés par la bactérie *Helicobacter pylori*. La présence de cette bactérie augmenterait le risque de cancer de l'estomac.

Truc santé

Riches en matières grasses insaturées, les noix sont fragiles et rancissent rapidement. En s'oxydant, elles prennent un goût et une odeur désagréables, et perdent une partie de leurs bienfaits nutritionnels. Les noix rances contiendraient des aflatoxines, des substances qui augmenteraient les risques de cancer du foie. Préférez les noix en écale, une protection naturelle contre le rancissement. Si vous les achetez écalées, sentez-les lorsque vous ouvrez le sac: si leur fraîcheur vous semble discutable, n'hésitez pas à les retourner. À moins de les utiliser rapidement, conservez-les au réfrigérateur.

Salade de cresson, de poire et de framboises

4 portions ✻ Préparation: 5 min ✻ Cuisson: aucune ✻ Attente: aucune

Valeur nutritive par portion

Énergie: 135 Cal/566 kJ

Protéines: 2 g

Matières grasses: 6 g

Glucides: 11 g

Fibres alimentaires: 4 g

Sodium: 46 mg

Oméga-3: 4,0 g

1 botte de cresson, lavée et parée

1 poire bosc, coupée en tranches fines

1 tasse (250 ml) de framboises fraîches

1/4 tasse (60 ml) d'amandes émincées

1 échalote française, hachée finement

vinaigre de framboises

huile de lin

fleur de sel (facultatif)

poivre concassé

1. Répartir le cresson dans quatre grandes assiettes. Dresser la salade en ajoutant sur chaque portion des tranches de poire, des framboises, des amandes et de l'échalote.

2. Au moment de servir, verser un filet de vinaigre et d'huile sur chaque portion, puis ajouter une pincée de fleur de sel et du poivre, au goût.

FLASH ANTI-CANCER

Il est facile de composer des recettes anti-cancer: cette salade express en est un exemple. Remplacez le cresson par de jeunes feuilles d'épinard, les framboises par des agrumes et les amandes par des noix de Grenoble. Ajoutez le vinaigre de votre choix en duo avec l'huile de lin, et vous obtenez une salade savoureuse et riche en antioxydants, en fibres alimentaires et en oméga-3. Vive la variété!

Truc santé

Le cresson est l'un des légumes verts les plus riches en vitamines et minéraux, plus encore que l'épinard. Il est particulièrement riche en vitamine A, qui joue un rôle important dans la vision, mais aussi dans la croissance des os et des tissus et dans la défense immunitaire. Consommez-le cru ou cuit. Si vous devez l'ajouter à une recette pendant la cuisson, faites-le à la toute dernière minute afin de limiter la perte de valeur nutritive.

Salade de haricots noirs, de mangue et de maïs

4 portions * Préparation: 12 min * Cuisson: aucune * Attente: 30 min

Valeur nutritive par portion

Énergie: 318 Cal/1334 kJ

Protéines: 10 g

Matières grasses: 15 g

Glucides: 40 g

Fibres alimentaires: 11 g

Sodium: 50 mg

Oméga-3: 0,1 g

Salade

1 gousse d'ail, hachée finement

3 oignons verts, hachés

1 piment fort, haché finement (facultatif)

1 boîte de 19 oz (540 ml) de haricots noirs, rincés et égouttés

1/2 tasse (125 ml) de poivron rouge coupé en petits dés

3/4 tasse (180 ml) de maïs en grains surgelé, décongelé

1 mangue mûre, pelée et coupée en dés

Vinaigrette

1/4 tasse (60 ml) d'huile de tournesol

2 c. à table (30 ml) de jus de lime

1 c. à thé (5 ml) de cumin moulu

1 c. à thé (5 ml) d'assaisonnement au chili

3 c. à table (45 ml) de coriandre fraîche, hachée

sel et poivre du moulin, au goût

1. Dans un saladier, mélanger tous les ingrédients de la salade.
2. Dans un petit bol, mélanger tous les ingrédients de la vinaigrette. Saler et poivrer.
3. Verser la vinaigrette sur la salade et bien remuer. Laisser reposer 30 minutes à la température ambiante avant de servir pour laisser aux saveurs le temps de se développer. Servir tel quel ou sur de la laitue.

FLASH ANTI-CANCER

La mangue est le fruit le plus riche en bêta-carotène, un caroténoïde connu pour ses propriétés anticancéreuses. C'est aussi une excellente source de vitamine C et une bonne source de fibres alimentaires, car elle fournit 2 g de fibres solubles et 2 g de fibres insolubles.

Les fibres solubles sont particulièrement efficaces pour soutenir l'appétit, et contrôler le cholestérol sanguin et la glycémie (taux de sucre dans le sang), tandis que les fibres insolubles contribuent surtout au bon fonctionnement des intestins.

Truc santé

Une salade de légumes colorés est certainement appétissante, mais elle ne constitue pas toujours un repas complet. Il faut lui ajouter une source de protéines. Les pannes d'énergie, la somnolence et les rages de sucre ressenties quelques heures après les repas sont souvent la conséquence d'un manque de protéines. Pour prévenir ces désagréments, ajoutez à votre salade une protéine animale (fromage, œuf, fruits de mer, viande ou volaille) ou végétale (légumineuses, tofu, noix, graines).

Salade de légumineuses, vinaigrette à l'érable

4 portions ∗ Préparation: 10 min ∗ Cuisson: aucune ∗ Attente: aucune

Valeur nutritive par portion

Énergie: 267 Cal/1118 kJ

Protéines: 8 g

Matières grasses: 9 g

Glucides: 29 g

Fibres alimentaires: 10 g

Sodium: 198 mg

Oméga-3: 8,0 g

Salade

1 boîte de 19 oz (540 ml) de mélange de légumineuses, rincées et égouttées

2 tasses (500 ml) de légumes coupés, au choix (poivrons colorés, céleri, tomates, tranches de radis, de concombre et de champignons, carottes râpées, oignons verts, oignon rouge,…)

Vinaigrette

1 c. à thé (5 ml) de moutarde de Dijon

1 c. à thé (5 ml) de vinaigre balsamique

1 c. à table (15 ml) de sirop d'érable

1 c. à thé (5 ml) d'herbes de Provence

1/2 c. à thé (2 ml) d'ail haché

2 c. à table (30 ml) d'eau

1/4 tasse (60 ml) d'huile de lin

1. Dans un grand bol, mélanger les légumineuses et les légumes coupés.
2. Dans un petit bol, mélanger tous les ingrédients de la vinaigrette, sauf l'huile. Ajouter celle-ci en filet, en fouettant vigoureusement pour émulsionner la vinaigrette.
3. Verser la vinaigrette sur la salade et bien mélanger.

 FLASH ANTI-CANCER

Bien que certains fruits et les légumes soient des aliments-vedettes dans la lutte contre le cancer, c'est avant tout la quantité et la variété qu'il faut viser. Tous ont un petit quelque chose à vous apporter. En leur accordant une plus grande place dès maintenant, vous faites un grand pas pour vous protéger contre cette maladie.

Truc santé

Riches en protéines et en fibres alimentaires, pauvres en gras et économiques, les légumineuses ont plus d'un tour dans leur sac! Pour faciliter leur digestion, assurez-vous de les rincer longuement sous l'eau froide avant de les ajouter à votre salade. Cette étape éliminera la petite couche gélatineuse qui cause les malaises abdominaux et les ballonnements.

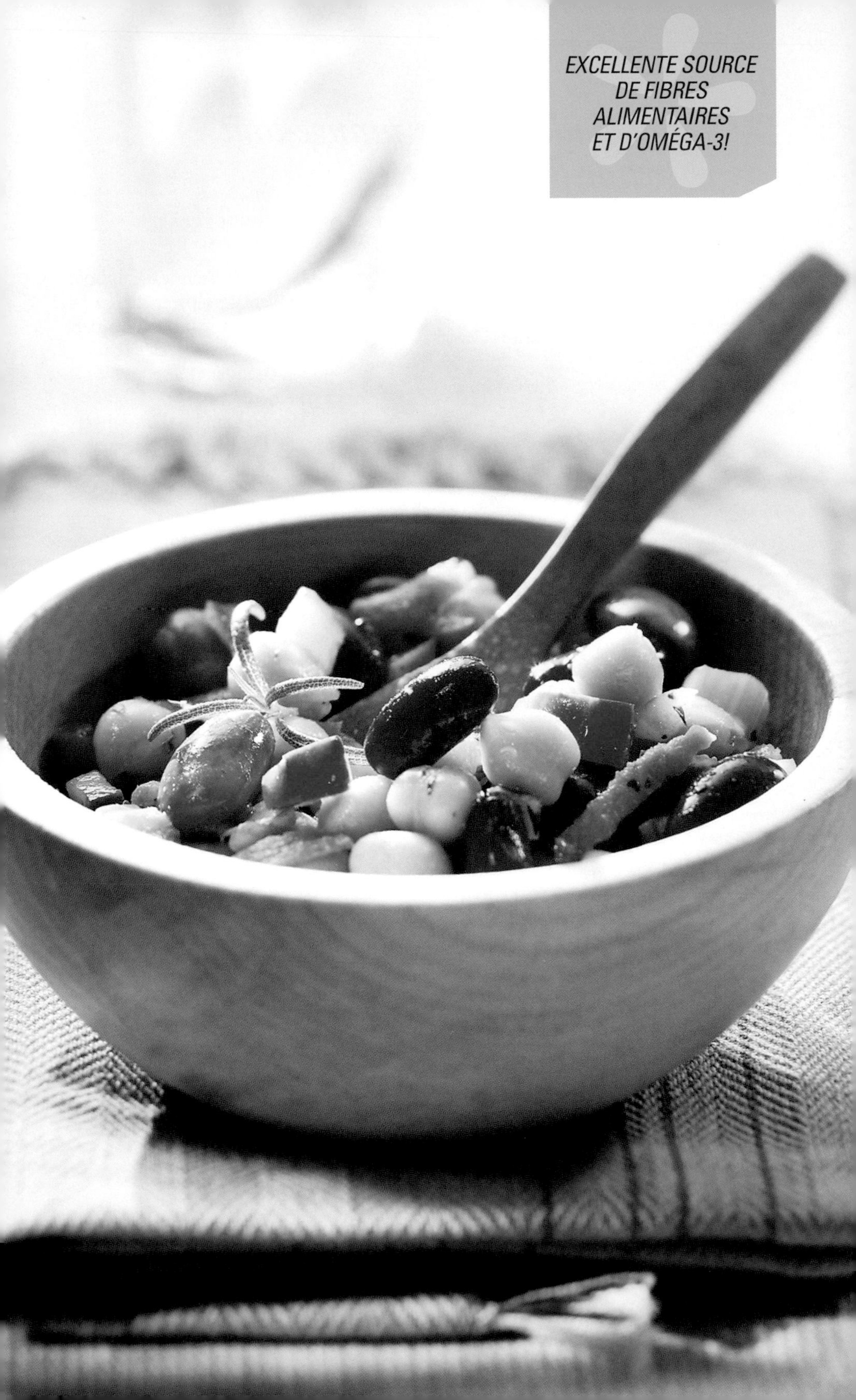

EXCELLENTE SOURCE DE FIBRES ALIMENTAIRES ET D'OMÉGA-3!

Salade de pois mange-tout et de fèves germées

4 portions * Préparation: 15 min * Cuisson: 2 min * Attente: aucune

Valeur nutritive par portion

Énergie: 246 Cal/1031 kJ

Protéines: 11 g

Matières grasses: 17 g

Glucides: 18 g

Fibres alimentaires: 4 g

Sodium: 486 mg

Oméga-3: 5,0 g

Salade de légumes

2 tasses (500 ml) de pois mange-tout

1 tasse (250 ml) de mini-bouquets de brocoli

1 tasse (250 ml) de champignons coupés en tranches

1/2 poivron rouge, coupé en dés

2 branches de céleri, émincées

3 tasses (750 ml) de fèves germées

2 c. à table (30 ml) de graines de sésame

Vinaigrette

1 gousse d'ail, hachée

1 c. à table (15 ml) de gingembre frais haché

1 c. à table (15 ml) de miel

2 c. à table (30 ml) de sauce soja

1 c. à table (15 ml) de vinaigre de riz

3 c. à table (45 ml) d'huile de lin

1 c. à thé (5 ml) d'huile de sésame grillé

1. Dans une casserole d'eau bouillante, blanchir séparément les pois mange-tout et le brocoli pendant 1 minute. Refroidir sous l'eau froide, égoutter et réserver séparément.

2. Dans un grand bol, mélanger tous les ingrédients de la vinaigrette. Ajouter les légumes, sauf les pois mange-tout, et bien mélanger pour les enrober de la vinaigrette.

3. Disposer les pois mange-tout en éventail dans les assiettes. Répartir la salade de légumes au centre des pois mange-tout. Garnir de graines de sésame.

FLASH ANTI-CANCER

C'est au sulforaphane, un ingrédient actif associé à la réduction des cancers, qu'on doit l'odeur de soufre qui se dégage du brocoli qui a cuit trop longtemps. Il est d'ailleurs préférable de consommer le brocoli cru ou cuit à la vapeur mais encore croquant, puisque les molécules de sulforaphane seraient détruites par la cuisson. Le brocoli cru serait trois fois plus riche en composés actifs que le brocoli cuit.

Truc santé

Fait cocasse, ces longues pousses blanches qu'on appelle communément «germes de soja» ou «fèves germées» ne proviennent pas du soja mais du haricot mungo: on devrait plutôt dire «germes de haricot mungo». Les germes de soja existent, mais on les trouve seulement dans certaines épiceries asiatiques et quelques magasins d'alimentation naturelle.

Salade étagée de quinoa, vinaigrette au sésame

6 portions * Préparation: 10 min * Cuisson: 20 min * Attente: aucune

Valeur nutritive par portion

Énergie: 218 Cal/913 kJ

Protéines: 5 g

Matières grasses: 7 g

Glucides: 34 g

Fibres alimentaires: 3 g

Sodium: 101 mg

Oméga-3: 0 g

Salade

1 tasse (250 ml) de quinoa

1 tasse (250 ml) de jus d'orange

1 tasse (250 ml) d'eau

1 tasse (250 ml) de concombre coupé en dés

1 poivron rouge, coupé en dés

1/4 tasse (60 ml) d'oignon rouge coupé en dés

2 branches de céleri, coupées en dés

1 carotte, râpée

2 c. à table (30 ml) de graines de sésame grillées

poivre concassé, au goût

Vinaigrette

4 c. à thé (20 ml) de vinaigre de riz

1 c. à table (15 ml) de sauce soja

2 c. à table (30 ml) de miel

1 c. à table (15 ml) d'eau

1 c. à thé (5 ml) d'huile de sésame

2 c. à table (30 ml) d'huile d'olive

1. Rincer le quinoa. Le mettre ensuite dans une casserole avec le jus d'orange et l'eau. Porter à ébullition à feu moyen-vif. Réduire à feu doux et laisser mijoter à couvert de 10 à 15 minutes ou jusqu'à ce que le liquide soit absorbé. Laisser refroidir.

2. Dans un grand bol, mélanger les légumes et tous les ingrédients de la vinaigrette.

3. Dans des verres à bière, des coupes à parfait ou des tasses à café espagnol, superposer des couches de légumes en vinaigrette et de quinoa à l'orange en les alternant.

4. Saupoudrer chaque portion de graines de sésame grillées et de poivre concassé.

FLASH ANTI-CANCER

Vous doutez encore de l'importance des fruits et des légumes? Plus de 4 500 études ont démontré leur rôle protecteur contre le cancer. De toutes les habitudes anti-cancer que vous pouvez intégrer à votre alimentation, la consommation quotidienne de cinq à dix portions de fruits et légumes est certainement la plus efficace. Alors, pensez à en ajouter une généreuse portion à tous vos repas. Cette salade étagée en est un bon exemple!

Truc santé

Le quinoa commence à peine à être connu des Québécois, bien qu'il soit consommé en Amérique du Sud depuis plus de 5 000 ans. Ces grains jaune doré de la famille des céréales se trouvent facilement dans les magasins d'alimentation naturelle et de nombreux supermarchés. Pour le cuire, on le met simplement dans une casserole avec deux fois son volume d'eau, puis on laisse mijoter jusqu'à ce que l'eau soit absorbée et que les grains soient tendres mais encore légèrement croquants. On peut utiliser du quinoa pour remplacer le riz.

Salade fruitée au riz entier

4 portions * Préparation: 15 min * Cuisson: aucune * Attente: 15 min

Valeur nutritive par portion

Énergie: 233 Cal/978 kJ

Protéines: 4 g

Matières grasses: 8 g

Glucides: 39 g

Fibres alimentaires: 4 g

Sodium: 54 mg

Oméga-3: 4,0 g

Vinaigrette

2 c. à table (30 ml) d'huile de lin

1/4 tasse (60 ml) de jus de pomme non sucré

3 c. à table (45 ml) de jus de citron

2 c. à table (30 ml) de basilic frais haché

sel et poivre du moulin, au goût

Salade

2 tasses (500 ml) de riz brun, cuit

1 pomme, coupée en dés

2 pêches, coupées en dés

1/2 tasse (125 ml) de raisins rouges coupés en deux

1 tasse (250 ml) de concombre coupé en dés

1/4 tasse (60 ml) d'oignon rouge coupé en dés

1 branche de céleri coupée en dés

1. Dans un grand bol, mélanger les ingrédients de la vinaigrette à l'aide d'un fouet. Saler et poivrer généreusement.
2. Ajouter le riz, les fruits et les légumes, et bien mélanger. Réfrigérer une quinzaine de minutes avant de servir.

FLASH ANTI-CANCER

Le raisin rouge contient des polyphénols, des composés antioxydants. Bien que sa teneur en polyphénols soit dix fois moins élevée que celle du vin rouge, le raisin rouge serait impliqué dans la prévention des cancers du sein, du côlon et de l'œsophage. Les raisins fournissent aussi une bonne quantité de fibres alimentaires et plusieurs vitamines, et ils ne contiennent pas d'alcool, contrairement au vin!

Truc santé

Une consommation quotidienne d'oméga-3 procure de nombreux effets bénéfiques, notamment sur la santé du cœur: réduction du taux de triglycérides dans le sang, prévention des caillots, légère diminution de la pression artérielle et réduction du risque d'arrêt cardiaque. Voilà de bonnes raisons pour ajouter des plats riches en oméga-3 à votre menu!

Trio de salade de chou

18 portions * Préparation: 10 min * Cuisson: aucune * Attente: 12 h

Valeur nutritive par portion de 1 tasse (250 ml)

Énergie: 87 Cal/365 kJ

Protéines: 1 g

Matières grasses: 5 g

Glucides: 7 g

Fibres alimentaires: 2 g

Sodium: 49 mg

Oméga-3: 1,6 g

Salade

1/2 chou vert

6 carottes

1/2 chou rouge

Vinaigrette

1 tasse (250 ml) d'eau

1 c. à table (15 ml) de sucre

1/4 tasse (60 ml) de vinaigre

1/4 tasse (60 ml) d'huile de lin

1/4 tasse (60 ml) d'huile de canola

1 c. à thé (5 ml) de moutarde préparée

1 c. à thé (5 ml) de persil frais, haché

1/2 c. à thé (2 ml) d'origan séché

1/2 c. à thé (2 ml) d'assaisonnement à l'italienne

1/4 c. à thé (1 ml) de sel

1. Au robot culinaire, râper le chou vert et réserver dans un bol. Hacher séparément les carottes et le chou rouge, et réserver chaque légume dans un bol (ne pas mélanger).
2. Dans un autre bol, mélanger tous les ingrédients de la vinaigrette. Verser le tiers de la vinaigrette dans le bol de chou vert, l'autre tiers dans le bol de carottes et le dernier tiers dans le bol de chou rouge. Mélanger, couvrir les trois bols et laisser mariner 12 heures au réfrigérateur (mélanger de temps à autre).
3. Dans des verres à apéro, superposer des couches de chou rouge, de carottes et de chou vert marinés.

FLASH ANTI-CANCER

Saviez-vous que la consommation hebdomadaire de cinq portions de crucifères pourrait réduire de moitié les risques de cancer du sein et de la vessie? Le chou et tous les légumes de la famille des crucifères (chou, chou-fleur, chou frisé, chou vert, chou rouge, chou cavalier, chou de Bruxelles et brocoli) renferment une grande variété de molécules anticancéreuses, dont le glucosinolate.

Truc santé

Qu'elle soit traditionnelle ou crémeuse, la salade de chou des restaurants contient de 10 à 15 g de gras par portion de 1 tasse (250 ml). Cette recette allégée, colorée et savoureuse a donc de quoi surprendre: chaque portion coûte environ 15 cents et n'apporte qu'environ 5 g de gras. Que peut-on demander de mieux?

Plats végétariens

Coquilles aux trois fromages

8 portions * Préparation: 15 min * Cuisson: 30 min * Attente: aucune

Valeur nutritive par portion

Énergie: 343 Cal/1441 kJ

Protéines: 21 g

Matières grasses: 12 g

Glucides: 39 g

Fibres alimentaires: 3 g

Sodium: 415 mg

Oméga-3: 0,2 g

10 oz (300 g) de coquilles géantes

1/4 d'oignon rouge, coupé en quartiers

1/2 poivron rouge, coupé grossièrement

1/2 poivron jaune, coupé grossièrement

1/2 courgette (zucchini), coupée en morceaux

1 branche de céleri, coupée en morceaux

1 botte de basilic

1 boîte de 28 oz (796 ml) de tomates broyées

1 tasse (250 ml) de tofu mi-ferme

1 tasse (250 ml) de fromage ricotta

1 œuf

1/2 c. à thé (2 ml) de muscade moulue

sel et poivre, au goût

1 tasse (250 ml) de fromage mozzarella partiellement écrémé râpé

3 1/2 oz (100 g) de fromage de chèvre émietté

1. Précuire les pâtes dans une casserole d'eau bouillante et les égoutter lorsqu'elles sont à demi cuites. Réserver.

2. Au robot culinaire, hacher finement l'oignon, les poivrons, la courgette, le céleri et le basilic. Ajouter les tomates et pulser de façon à obtenir une sauce onctueuse. Réserver.

3. Dans un bol, mélanger le tofu, le fromage ricotta, l'œuf et la muscade. Saler et poivrer. Farcir les pâtes de cette préparation.

4. Verser la moitié de la sauce dans un plat rectangulaire allant au four. Ajouter les pâtes farcies et les couvrir du reste de la sauce. Parsemer des fromages.

5. Cuire au four préchauffé à 350 °F (180 °C) de 25 à 30 minutes ou jusqu'à ce que la lame d'un couteau insérée au centre d'une pâte farcie en ressorte bien chaude.

Note: Vous pouvez utiliser la sauce fraîcheur préparée à l'étape 2 pour tous vos plats de pâtes.

FLASH ANTI-CANCER

Ce sont les isoflavones qui confèrent au soja ses effets anti-cancer. Cependant, il n'est pas recommandé de consommer les isoflavones sous forme de comprimé, car leur concentration est souvent trop élevée, ce qui peut avoir, selon certaines études, des effets néfastes pour les femmes ménopausées ou en rémission d'un cancer du sein. Dites-vous que l'aliment vaut toujours mieux que le supplément!

Truc santé

En plus d'être riche en protéines, le tofu contient moins de matières grasses que la viande. Comme ses matières grasses sont essentiellement insaturées — donc de bonne qualité —, le tofu constitue un excellent choix pour remplacer la viande. Il passe incognito dans cette recette puisqu'il est mélangé au fromage ricotta. Saviez-vous que la teneur en protéines du tofu varie selon son type? Plus il est ferme, moins il contient d'eau et plus il est riche en protéines.

Légumes sautés en sauce hoisin

4 portions * Préparation: 15 min * Cuisson: 5 min * Attente: aucune

Valeur nutritive par portion

Énergie: 318 Cal/1336 kJ

Protéines: 21 g

Matières grasses: 18 g

Glucides: 25 g

Fibres alimentaires: 6 g

Sodium: 475 mg

Oméga-3: 1,0 g

1/3 tasse (80 ml) de sauce hoisin

1/4 tasse (60 ml) d'eau

1 paquet de 1 livre (454 g) de tofu ferme, égoutté et coupé en bâtonnets

2 c. à table (30 ml) d'huile d'olive

1 oignon, émincé

2 gousses d'ail, hachées

2 carottes moyennes, coupées en fines rondelles

1 poivron rouge, coupé en cubes

1 tasse (250 ml) de courgette (zucchini) coupée en demi-rondelles

2 c. à thé (10 ml) de gingembre frais haché

1/2 c. à thé (2 ml) de cinq-épices chinois (voir Truc santé)

3 tasses (750 ml) de chou napa (chou chinois) émincé

sel et poivre du moulin, au goût

persil frais, haché

1. Dans un bol, mélanger la sauce hoisin, l'eau et le tofu. Réserver.
2. Dans un wok ou une grande poêle, chauffer l'huile à feu vif. Ajouter l'oignon et l'ail, et faire revenir 30 secondes. Ajouter les carottes, le poivron et la courgette, et saisir rapidement.
3. Incorporer le gingembre, saupoudrer du cinq-épices et cuire de 2 à 3 minutes.
4. Ajouter le tofu et la sauce réservés ainsi que le chou, et bien mélanger. Poursuivre la cuisson environ 2 minutes ou jusqu'à ce que le chou soit tendre et que le tofu soit chaud. Au moment de servir, saler, poivrer et parsemer de persil.

FLASH ANTI-CANCER

Les choux contiennent du glucosinolate et des indoles, des substances aux propriétés anticancéreuses. Pour profiter de tous leurs bienfaits, il faut les consommer crus ou cuits mais encore croquants. Évitez de cuire les choux dans un trop grand volume d'eau, ce qui aurait pour effet de diluer leurs éléments actifs. Pour extraire le maximum de glucosinolate, il est important de bien mastiquer les choux.

Truc santé

Le cinq-épices chinois est un mélange d'anis étoilé, de girofle, de fenouil, de cannelle et de poivre. Cet assaisonnement est très utilisé en Chine et au Vietnam pour aromatiser les grillades et les sautés. Il ne faut pas le confondre avec le toute-épice (traduction de l'anglais allspice), nom souvent donné au piment de la Jamaïque. Le quatre-épices désigne pour sa part un assaisonnement européen à base de cannelle utilisé dans la fabrication de charcuteries: il ne convient pas à cette recette.

Mijoté de légumes aux lentilles

4 portions ✳ Préparation: 15 min ✳ Cuisson: 20 min ✳ Attente: aucune

Valeur nutritive par portion

Énergie: 441 Cal/1852 kJ

Protéines: 19 g

Matières grasses: 9 g

Glucides: 76 g

Fibres alimentaires: 14 g

Sodium: 145 mg

Oméga-3: 0,2 g

2 c. à table (30 ml) d'huile d'olive

2 gousses d'ail, hachées

1 oignon, haché grossièrement

2 branches de céleri, coupées en tronçons

2 carottes, coupées en tronçons

2 courgettes (zucchini), coupées en tronçons

1 tasse (250 ml) de haricots verts ou jaunes coupés en tronçons

2 tasses (500 ml) de bouillon de légumes

1/4 tasse (60 ml) de pâte de tomates

1 tasse (250 ml) de riz à grain long

1 feuille de laurier

1 brin de thym frais ou 1 c. à thé (5 ml) de thym séché

sel et poivre du moulin, au goût

1 boîte de 19 oz (540 ml) de lentilles, rincées et égouttées

1. Dans une casserole, chauffer l'huile à feu moyen. Ajouter les légumes et faire revenir de 3 à 4 minutes. Retirer les légumes de la casserole et les réserver dans un bol.

2. Dans la casserole, porter le bouillon de légumes à ébullition. Ajouter la pâte de tomates et remuer. Ajouter le riz, la feuille de laurier et le thym. Saler et poivrer généreusement, et bien remuer. Couvrir partiellement et laisser mijoter 10 minutes à feu moyen.

3. Ajouter les lentilles et les légumes réservés, et poursuivre la cuisson de 5 à 7 minutes ou jusqu'à la cuisson désirée. Servir dans des assiettes creuses.

FLASH ANTI-CANCER

Les aliments riches en fibres alimentaires peuvent contribuer à la prévention du cancer colorectal, un type de cancer fortement lié à l'alimentation. On peut donc le prévenir en mangeant sainement et en ajoutant des sources de fibres à notre menu. On en trouve dans les légumineuses, les céréales entières, les fruits et les légumes.

Truc santé

Au Canada, la consommation moyenne de fibres alimentaires est de 10 g par jour, alors qu'il est recommandé d'en consommer au moins 30 g quotidiennement. À chaque repas, choisissez des recettes qui fournissent au moins 4 g de fibres par portion et composez vos collations de fruits, légumes, noix ou produits céréaliers à grains entiers: vous respecterez ainsi les recommandations sans problème. Pour que les fibres soient plus efficaces et mieux tolérées, n'oubliez pas non plus de bien vous hydrater.

Pâtes au miso

4 portions * Préparation: 20 min * Cuisson: 10 min * Attente: aucune

Valeur nutritive par portion

Énergie:
279 Cal/1173 kJ

Protéines: 11 g

Matières grasses: 5 g

Glucides: 52 g

Fibres alimentaires: 7 g

Sodium: 509 mg

Oméga-3: 0,2 g

1 c. à table (15 ml) d'huile d'olive

1 gousse d'ail, hachée

2 c. à thé (10 ml) de citronnelle hachée finement

1 tasse (250 ml) de carottes coupées en julienne

1 tasse (250 ml) de pois mange-tout coupés en julienne

1 tasse (250 ml) de poivron rouge ou jaune coupé en lanières

3 c. à table (45 ml) de pâte miso

1/4 tasse (60 ml) de bouillon de légumes réduit en sodium

1 c. à table (15 ml) de miel

2 c. à table (30 ml) de jus de citron

4 tasses (1 L) de pâtes de blé entier cuites

3 tasses (750 ml) d'épinards frais, lavés et équeutés

poivre du moulin, au goût

1. Dans une grande poêle, chauffer l'huile à feu moyen-vif. Ajouter l'ail et la citronnelle, et faire revenir 1 minute. Ajouter les carottes, les pois mange-tout et le poivron, et cuire de 3 à 4 minutes.
2. Pendant ce temps, délayer la pâte miso dans le bouillon de légumes. Ajouter le miel et le jus de citron, et mélanger. Réserver.
3. Incorporer les pâtes au mélange de légumes et cuire 2 minutes en remuant souvent. Ajouter la préparation de miso et bien mélanger.
4. Au moment de servir, ajouter les épinards et poivrer.

FLASH ANTI-CANCER

Frais ou surgelés, crus ou cuits, les épinards sont riches en alpha et bêta-carotène, des composés qui contribueraient à prévenir le cancer du sein et du col de l'utérus. Saviez-vous que le fait de manger des épinards arrosés d'un filet d'huile améliorerait l'absorption des caroténoïdes?

Truc santé

Le miso est une pâte fermentée d'origine japonaise composée de fèves de soja, de riz ou d'orge et de sel. Le miso peut remplacer le sel ou le tamari dans plusieurs recettes et fait d'excellents bouillons pour les soupes. Vendu dans les épiceries asiatiques et les magasins d'alimentation naturelle, le miso se conserve un an au réfrigérateur, dans un contenant hermétique.

Pizzas express à la grecque

6 portions * Préparation: 10 min * Cuisson: 12 min * Attente: 30 min

Valeur nutritive par portion

Énergie: 316 Cal/1327 kJ

Protéines: 14 g

Matières grasses: 12 g

Glucides: 43 g

Fibres alimentaires: 6 g

Sodium: 934 mg

Oméga-3: 0,1 g

1 tasse (250 ml) de fromage feta grec

1 tasse (250 ml) de tofu extra-ferme (environ 1/2 bloc de 10 oz/300 g)

1/2 tasse (125 ml) de sauce tomate du commerce

6 pains pitas de blé entier

1/2 poivron rouge, en fines lanières

1/2 poivron jaune, en fines lanières

1/4 d'oignon rouge, coupé en lamelles

1 grosse tomate, coupée en dés

1/3 tasse (80 ml) d'olives kalamata dénoyautées et hachées

1 c. à table (15 ml) d'origan frais haché

1. Retirer le bloc de feta de sa saumure, l'émietter dans un bol et réserver.

2. Déposer le tofu dans la saumure, couvrir et laisser mariner pendant 30 minutes. Égoutter le tofu, l'émietter dans le bol de feta et mélanger.

3. Étendre la sauce tomate sur les pains pitas. Garnir de la moitié du mélange de tofu, puis des poivrons, de l'oignon, de la tomate et des olives. Répartir le reste du mélange de tofu sur les pizzas. Garnir d'origan. Déposer les pizzas sur une plaque de cuisson.

4. Cuire au four préchauffé à 400 °F (200 °C) pendant 10 minutes. Faire gratiner de 2 à 3 minutes sous le gril du four (à broil). Servir aussitôt.

FLASH ANTI-CANCER

Le soja, qu'il soit sous forme de tofu, de miso, de fèves de soja bouillies ou rôties, contient des isoflavones, des molécules capables de bloquer l'effet stimulant de certaines hormones sexuelles sur les cellules cancéreuses. Toutefois, la sauce soja et l'huile de soja contiennent très peu d'isoflavones.

Truc santé

Le tofu en vrac ou dont l'emballage est ouvert doit être gardé au réfrigérateur, dans un contenant hermétique rempli d'eau. L'eau de trempage doit être changée tous les jours. Le tofu se conservera ainsi environ une semaine. Évitez de congeler le tofu car, une fois décongelé, sa texture sera granuleuse et il risque aussi de développer un arrière-goût. Utilisez plutôt vos restes de tofu dans la recette de Coquilles aux trois fromages (page 82).

Viandes et volailles

Mijoté de porc à l'ail rôti

4 portions ✳ Préparation: 20 min ✳ Cuisson: 1 h 30 min ✳ Attente: aucune

Valeur nutritive par portion

Énergie: 384 Cal/1614 kJ

Protéines: 43 g

Matières grasses: 10 g

Glucides: 32 g

Fibres alimentaires: 6 g

Sodium: 757 mg

Oméga-3: 0,1 g

1 1/2 lb (750 g) de cubes de porc à ragoût

1/4 tasse (60 ml) de farine de blé entier

2 têtes d'ail

1 c. à table (15 ml) d'huile d'olive

1 oignon, coupé en gros cubes

4 tasses (1 L) de bouillon de poulet réduit en sodium

1 feuille de laurier

1 brin de romarin frais

sel et poivre du moulin, au goût

1 tasse (250 ml) de carottes coupées en tronçons

1 tasse (250 ml) de panais coupé en tronçons

1/2 tasse (125 ml) de navet coupé en cubes

1 tasse (250 ml) de céleri-rave coupé en cubes

1 tasse (250 ml) de pommes de terre grelots coupées en quatre

1. Passer les cubes de porc dans la farine et secouer pour éliminer l'excédent. Réserver.

2. Peler les têtes d'ail, couper les gousses en deux sur la longueur et enlever le germe. Dans une grande casserole, faire rôtir les gousses d'ail dans l'huile à feu doux jusqu'à ce qu'elles soient tendres et bien dorées. Retirer les gousses d'ail de la casserole et réserver. Augmenter à feu moyen-vif.

3. Dans la casserole, faire colorer les cubes de porc. Ajouter l'oignon et poursuivre la cuisson pendant 2 minutes. Mouiller avec le bouillon de poulet, ajouter la feuille de laurier et le romarin, saler et poivrer. Porter à ébullition et laisser mijoter pendant 1 heure.

4. Ajouter les légumes et les gousses d'ail rôties, et poursuivre la cuisson de 15 à 20 minutes ou jusqu'à ce que les légumes soient tendres.

5. Rectifier l'assaisonnement, au besoin.

FLASH ANTI-CANCER

L'ail est utilisé pour ses vertus médicinales depuis l'Antiquité. La simple consommation d'une gousse par jour serait suffisante pour bénéficier de ses effets protecteurs sur la santé du cœur et de son action préventive contre le cancer. Une vingtaine de composés de l'ail auraient des propriétés anticancéreuses (réduction du risque de cancer de l'estomac et du côlon).

Truc santé

La saveur de l'ail apparaît seulement lorsqu'il est coupé, écrasé ou haché. La rupture des membranes libère des substances qui deviennent actives à l'air libre. L'intensité de la saveur dépend de la façon dont on le coupe: plus il est coupé finement, plus sa saveur sera prononcée. Dans cette recette, on coupe l'ail en deux pour retirer le germe qui se trouve parfois au centre de la gousse. Ce germe rend l'ail plus difficile à digérer et serait responsable de l'odeur qu'il laisse sur l'haleine. Si votre ail est très frais, inutile de couper la gousse: le germe sera petit et ne devrait pas causer de problèmes de digestion.

Sauté de veau à l'orange et au sésame

4 portions ∗ Préparation: 15 min ∗ Cuisson: 5 min ∗ Attente: aucune

Valeur nutritive par portion

Énergie: 412 Cal/1730 kJ

Protéines: 26 g

Matières grasses: 11 g

Glucides: 50 g

Fibres alimentaires: 4 g

Sodium: 641 mg

Oméga-3: 0,1 g

2 c. à table (30 ml) d'huile d'olive

1 lb (500 g) d'escalopes de veau coupées en lanières

1 c. à thé (5 ml) d'huile de sésame

1 c. à table (15 ml) de gingembre frais haché

2 gousses d'ail, hachées

1/2 c. à thé (2 ml) de harissa (pâte de piments forts)

3 oignons verts, émincés

2 c. à table (30 ml) de sauce soja

1/4 tasse (60 ml) de bouillon de poulet réduit en sodium

le jus et le zeste râpé de 1 orange

1 pincée de cinq-épices chinois

fécule de maïs délayée dans un peu d'eau, au besoin

7 oz (200 g) de vermicelle de riz, cuit

1. Dans une grande poêle, chauffer l'huile d'olive à feu vif. Ajouter les lanières de veau et cuire environ 2 minutes en remuant souvent.
2. Ajouter l'huile de sésame, le gingembre, l'ail et le harissa, et poursuivre la cuisson 1 minute.
3. Ajouter les oignons verts, la sauce soja, le bouillon de poulet, le jus et le zeste d'orange ainsi que le cinq-épices. Porter à ébullition et laisser bouillir 1 minute. Au besoin, épaissir la sauce avec la fécule délayée.
4. Servir le sauté sur un nid de vermicelle de riz.

FLASH ANTI-CANCER

Le gingembre n'a pas révélé tous ses secrets. On connaissait ses vertus contre les nausées de la grossesse et le mal des transports. Or, voilà que de nouvelles études semblent indiquer qu'il pourrait non seulement prévenir les tumeurs cancéreuses mais aussi freiner leur progression. S'il est trop tôt pour crier haut et fort que le gingembre est un aliment anti-cancer, le 6-gingérole — la substance active responsable de son goût caractéristique — laisse entrevoir un avenir prometteur pour cette racine savoureuse.

Truc santé

Il faut bien doser l'huile de sésame, car son goût parfumé est très prononcé. Si vous en ajoutez trop, elle risque de masquer le goût des aliments. Une cuillerée à thé (5 ml) ou même quelques gouttes suffisent. Employée avec modération, elle relèvera subtilement vos recettes sans envahir vos papilles!

Cari de dindon

4 portions ⁂ Préparation: 15 min ⁂ Cuisson: 25 min ⁂ Attente: aucune

Valeur nutritive par portion

Énergie:
287 Cal/1204 kJ

Protéines: 42 g

Matières grasses: 5 g

Glucides: 16 g

Fibres alimentaires: 3 g

Sodium: 172 mg

Oméga-3: 0,1 g

1 c. à table (15 ml) d'huile d'olive

1 1/4 lb (625 g) de poitrine de dindon désossée et sans la peau, coupée en lanières

1 tasse (250 ml) de courgette (zucchini), coupée en gros dés

2 petits oignons, hachés

2 gousses d'ail, hachées

1 c. à table (15 ml) de gingembre frais haché

2 tomates coupées en dés, avec leur jus

1 c. à thé (5 ml) d'assaisonnement au chili

1 c. à table (15 ml) de curcuma moulu

1 c. à thé (5 ml) de cumin moulu

sel et poivre du moulin, au goût

1 tasse (250 ml) de yogourt nature, à la température ambiante

1 c. à table (15 ml) de coriandre fraîche hachée

1. Dans une casserole, chauffer l'huile à feu vif et y faire dorer le dindon. Retirer le dindon et le réserver dans une assiette.
2. Dans la même casserole, faire revenir la courgette, les oignons, l'ail et le gingembre à feu moyen-vif.
3. Ajouter les tomates, l'assaisonnement au chili, le curcuma, le cumin et le dindon réservé. Réduire à feu moyen-doux et poursuivre la cuisson pendant 10 minutes. Saler et poivrer.
4. Incorporer le yogourt et réchauffer 5 minutes à feu doux. Parsemer de coriandre et servir sur du riz basmati.

FLASH ANTI-CANCER

Le curcuma, une épice aux propriétés anti-cancer, est peu assimilé par l'organisme. Pour améliorer sa biodisponibilité, on doit lui ajouter du poivre. Ce truc tout simple multiplierait par mille le taux d'absorption de la curcumine, la substance active du curcuma.

Truc santé
Le cari est un condiment indien qui peut comprendre jusqu'à 50 épices. On trouve des caris doux, moyens, forts et brûlants, qu'on peut se procurer sous forme de pâte ou de poudre. Leur couleur varie du beige au brun doré en passant par le rouge et le vert, selon les épices utilisées. Le cumin, la cannelle, le curcuma, le fenugrec, le poivre, le piment et les graines de moutarde font partie des épices les plus souvent employées. Créez votre propre cari, comme dans cette recette, ou choisissez un cari à votre mesure afin d'apprécier votre recette sans vous brûler les papilles!

Hauts de cuisses de poulet à la provençale

6 portions * Préparation: 10 min * Cuisson: 2 h * Attente: aucune

Valeur nutritive par portion

Énergie: 587 Cal/2465 kJ

Protéines: 64 g

Matières grasses: 14 g

Glucides: 51 g

Fibres alimentaires: 6 g

Sodium: 678 mg

Oméga-3: 0,2 g

12 à 18 hauts de cuisses de poulet désossés, sans la peau

2 boîtes de 28 oz (796 ml) de tomates étuvées, coupées en dés

1/2 poivron rouge, coupé en dés

1/2 poivron vert, coupé en dés

3 oignons verts, hachés

1/4 d'oignon rouge, coupé en lamelles

10 champignons, coupés en tranches

1 courgette (zucchini), coupée en tranches

1/2 tasse (125 ml) d'olives noires coupées en deux

2 c. à table (30 ml) d'herbes de Provence

10 oz (300 g) de nouilles aux œufs

2 c. à table (30 ml) de parmesan fraîchement râpé

1. Déposer les hauts de cuisses dans un plat allant au four de 8 po x 12 po (20 cm x 30 cm). Ajouter les tomates, tous les légumes et les olives, et remuer.
2. Cuire au four à 300 °F (150 °C) pendant 2 heures. Remuer la préparation et arroser le poulet de la sauce de temps à autre. Ajouter un peu d'eau si la sauce a trop réduit. Ajouter les herbes de Provence à la sortie du four.
3. Cuire les nouilles dans une casserole d'eau bouillante salée jusqu'à ce qu'elles soient al dente. Bien égoutter.
4. Répartir les nouilles et le poulet dans les assiettes. Servir chaque portion nappée de la sauce et saupoudrée de parmesan.

FLASH ANTI-CANCER

La tomate contient du lycopène, un composé antioxydant associé à une diminution du risque de cancer du poumon, de l'estomac et de la prostate. Selon une étude américaine, deux repas à base de tomates cuites par semaine pourraient réduire du quart le risque de cancer de la prostate.

Truc santé

Cette recette toute simple qui cuit longuement et embaume la maison est idéale pour les fins de semaine pluvieuses. On prend quelques minutes l'après-midi pour la préparer, on passe du temps en famille pendant la cuisson et on déguste un plat réconfortant au souper. Préparation rapide, cuisson lente, saveurs incroyables.

Poitrines de poulet au parfum marocain

4 portions * Préparation: 20 min * Cuisson: 30 min * Attente: aucune

Valeur nutritive par portion

Énergie: 350 Cal/1470 kJ

Protéines: 30 g

Matières grasses: 12 g

Glucides: 21 g

Fibres alimentaires: 6 g

Sodium: 170 mg

Oméga-3: 0,1 g

Farce

1 échalote française

1/3 tasse (80 ml) de pruneaux séchés

1/3 tasse (80 ml) d'amandes grillées

2 c. à table (30 ml) de jus d'orange

2 c. à thé (10 ml) de zeste d'orange râpé

sel et poivre du moulin, au goût

4 poitrines de poulet désossées, sans la peau

Sauce

1 c. à table (15 ml) de beurre

1 échalote française, hachée

1 gousse d'ail, hachée

1 tasse (250 ml) de bouillon de poulet réduit en sodium

1/3 tasse (80 ml) de pruneaux séchés, hachés grossièrement

1/2 c. à thé (2 ml) de cannelle

1/2 c. à thé (2 ml) de Tabasco

2 c. à thé (10 ml) de menthe séchée

2 morceaux de zeste d'orange de 1/2 po x 2 po (1 cm x 5 cm)

sel et poivre du moulin, au goût

2 tomates, coupées en cubes

1. Au robot culinaire, hacher l'échalote. Ajouter les pruneaux et les amandes, et hacher de nouveau. Ajouter le jus et le zeste d'orange, saler et poivrer.

2. À l'aide d'un couteau, ouvrir les poitrines de poulet en papillon dans l'épaisseur sans couper jusqu'au bord. Les aplatir légèrement avec un maillet ou un poêlon. Répartir la farce au centre des poitrines, refermer et fixer à l'aide de cure-dents. Déposer dans un plat allant au four. Réserver.

3. Pour la sauce, faire fondre le beurre à feu moyen dans une casserole. Ajouter l'échalote et l'ail, et faire revenir 1 minute. Ajouter le bouillon de poulet, les pruneaux, la cannelle, le Tabasco, la menthe et le zeste d'orange. Saler et poivrer. Porter à ébullition, couvrir et laisser mijoter de 5 à 7 minutes ou jusqu'à ce que les pruneaux soient tendres. Verser la sauce sur le poulet et parsemer des tomates.

4. Cuire au four préchauffé à 400 °F (200 °C) de 20 à 25 minutes ou jusqu'à ce que le poulet soit cuit.

5. Servir accompagnées de couscous.

FLASH ANTI-CANCER

Selon certaines études, une alimentation riche en fibres alimentaires protégerait contre le cancer du sein. Les femmes qui consomment plus de 25 g de fibres par jour pourraient réduire d'environ 40 % leur risque de ce type de cancer.

Truc santé

Le pruneau est victime de nombreux préjugés. Pourtant, il ne s'agit que d'une prune déshydratée! Alors qu'on déguste avec plaisir des paniers entiers de prunes en saison, on lève le nez sur les pruneaux dès que leur nom est prononcé. Riches en fibres, ils sont une bonne source de fer ainsi qu'une source de calcium et de vitamine B_{12}. Dans cette recette, ils ajoutent de l'onctuosité et de la saveur à la sauce tout en limitant l'apport de matières grasses.

Poissons et fruits de mer

Mi-cuit de thon rouge aux noix de Grenoble

4 portions * Préparation: 15 min * Cuisson: 5 min * Attente: 2 h

Valeur nutritive par portion

Énergie: 334 Cal/1403 kJ

Protéines: 26 g

Matières grasses: 24 g

Glucides: 5 g

Fibres alimentaires: 3 g

Sodium: 207 mg

Oméga-3: 2,6 g

Marinade

1/4 tasse (60 ml) d'huile d'olive

2 c. à table (30 ml) de câpres grossièrement hachées

1/4 tasse (60 ml) de vinaigre balsamique

1 gousse d'ail, hachée

1 c. à table (15 ml) de thym frais haché

1 c. à table (15 ml) de basilic frais haché

Poisson

4 darnes de thon rouge d'environ 3/4 po (2 cm) d'épaisseur

1/4 tasse (60 ml) de graines de lin moulues

1/3 tasse (80 ml) de noix de Grenoble hachées

sel et poivre du moulin, au goût

1 échalote française hachée finement

1. Dans un grand plat fermant hermétiquement, mélanger les ingrédients de la marinade. Ajouter le thon, couvrir et laisser mariner environ 2 heures au réfrigérateur. Remuer de temps en temps pour bien enrober les darnes.

2. Dans une assiette, mélanger les graines de lin et les noix de Grenoble. Retirer le thon de la marinade (réserver la marinade), bien l'égoutter et le presser dans le mélange de noix de façon à l'enrober d'un seul côté.

3. Chauffer un grand poêlon antiadhésif à feu vif. Ajouter le thon et cuire 1 minute de chaque côté en commençant par le côté sans noix. Saler, poivrer et réserver au chaud.

4. Pendant ce temps, verser la marinade réservée dans une petite casserole. Ajouter l'échalote et porter à ébullition.

5. Servir les darnes arrosées de la marinade.

FLASH ANTI-CANCER

Une consommation élevée de viande rouge prédisposerait au cancer colorectal et de l'estomac. La viande rouge est un aliment sain qui a sa place dans une alimentation équilibrée, mais pas tous les jours. Vous pouvez en consommer deux à trois fois, ou moins, par semaine. Pour les autres repas, tournez-vous vers d'autres types de protéines, par exemple les viandes blanches, le poisson, les fruits de mer, les œufs et les protéines végétales. Ce mi-cuit de thon rouge est donc une excellente façon de réduire votre consommation de viande tout en savourant les plaisirs de la table!

Truc santé

Les Nord-Américains sont parmi ceux qui consomment le moins de poisson. Pourtant, il apporte de nombreux éléments bénéfiques pour la santé. Plus maigre que la viande, sa chair contient de bons gras insaturés et une quantité variable d'oméga-3 selon les espèces. Saviez-vous que les oméga-3 du poisson sont plus facilement assimilables que ceux des végétaux comme les noix et les graines? Raison de plus pour manger du poisson plus souvent, idéalement de deux à trois fois par semaine.

Saumon glacé au miel et à l'orange

4 portions ∗ Préparation: 5 min ∗ Cuisson: 10 min ∗ Attente: aucune

Valeur nutritive par portion

Énergie:
213 Cal/894 kJ

Protéines: 18 g

Matières grasses: 9 g

Glucides: 15 g

Fibres alimentaires: 1 g

Sodium: 177 mg

Oméga-3: 2,1 g

3 c. à table (45 ml) de jus d'orange

1 c. à thé (5 ml) de zeste d'orange râpé

3 c. à table (45 ml) de miel

2 c. à table (30 ml) de moutarde de Dijon

1 pincée de sel

4 darnes de saumon

2 tasses (500 ml) de jeunes feuilles d'épinards ou de cresson (facultatif)

1. Dans un petit bol, mélanger le jus et le zeste d'orange, le miel, la moutarde et le sel.
2. Déposer les darnes de saumon sur une plaque de cuisson doublée de papier parchemin. Badigeonner le dessus des darnes de la préparation à l'orange.
3. Placer la plaque de cuisson sur la grille inférieure du four. Cuire sous le gril (à broil) environ 10 minutes ou jusqu'à ce que le dessus des darnes soit glacé et légèrement doré et que la chair du poisson soit cuite mais encore humide. Servir sur les épinards ou le cresson.

FLASH ANTI-CANCER

Le saumon figure parmi les poissons les plus riches en oméga-3, au même titre que le maquereau, la sardine, le thon rouge et le hareng. Pour profiter au maximum des bienfaits des oméga-3, il est conseillé de consommer chaque semaine de deux à trois portions de ces poissons. Les oméga-3 interviendraient dans la prévention de plusieurs cancers, dont ceux du sein, de la prostate et du côlon.

Truc santé

Une portion de 3 1/2 oz (100 g) de saumon suffit pour combler vos besoins en vitamine D pour la journée. La vitamine D (ou calciférol) est essentielle à la santé des os et des dents puisqu'elle joue un rôle dans le métabolisme du calcium dans l'organisme. Elle contribue à prévenir l'ostéoporose en améliorant l'absorption et la rétention du calcium par les os.

Crevettes épicées au sésame

4 portions * Préparation: 5 min * Cuisson: 10 à 15 min * Attente: 30 min

Valeur nutritive par portion

Énergie: 313 Cal/1315 kJ

Protéines: 17 g

Matières grasses: 18 g

Glucides: 15 g

Fibres alimentaires: 2 g

Sodium: 208 mg

Oméga-3: 0,2 g

20 grosses crevettes décortiquées

le jus de 2 citrons

1 tasse (250 ml) de graines de sésame grillées

2 c. à table (30 ml) de curcuma

1 c. à thé (5 ml) de piment de Cayenne

1/4 c. à thé (1 ml) de sel

1/2 c. à thé (2 ml) de poivre

2 œufs battus

1. Dans un plat en verre, mélanger les crevettes et le jus de citron. Couvrir et laisser mariner 30 minutes au réfrigérateur.

2. Dans un bol, mélanger les graines de sésame, le curcuma, le piment de Cayenne, le sel et le poivre. Remuer régulièrement le mélange de sésame pour éviter que les épices ne tombent au fond du bol.

3. Une à la fois, tremper les crevettes dans les œufs battus, puis dans le mélange de graines de sésame de façon à bien les enrober. Les déposer ensuite sur une plaque de cuisson doublée de papier parchemin.

4. Cuire au four préchauffé à 400 °F (200 °C) de 10 à 15 minutes ou jusqu'à ce que les crevettes soient légèrement dorées (ne pas les retourner).

5. Servir en amuse-gueule à l'apéro ou en plat principal sur une salade de verdures.

 FLASH ANTI-CANCER

Le curcuma est une racine qui ressemble au gingembre. Une fois séchée et broyée, elle sert à aromatiser le riz, les sauces et les vinaigrettes. Les curcuminoïdes, les molécules qui donnent sa couleur orangée à cette épice, seraient efficaces dans la prévention des cancers du côlon, de l'estomac, du foie, de la peau, du sein et des ovaires. Les effets du curcuma ont été essentiellement démontrés en laboratoire ou sur des animaux. Mais le taux très faible de cancer observé dans les pays où la consommation de curcuma est importante laisse croire au même effet chez les humains.

Truc santé

Les herbes et les épices sont fragiles et méritent qu'on les traite avec soin. Achetez-les en petite quantité et conservez-les dans des contenants opaques et hermétiques. Il est même conseillé de les garder dans un endroit frais, idéalement au congélateur ou du moins au réfrigérateur. Évitez à tout prix de les mettre au-dessus de la cuisinière: elles sécheraient, et la chaleur leur ferait perdre tout leur goût.

Pâtes aux crevettes en sauce crémeuse

6 portions ⁎ Préparation: 5 min ⁎ Cuisson: 15 min ⁎ Attente: aucune

Valeur nutritive par portion

Énergie: 280 Cal/1175 kJ

Protéines: 16 g

Matières grasses: 4 g

Glucides: 43 g

Fibres alimentaires: 4 g

Sodium: 104 mg

Oméga-3: 0,1 g

10 oz (300 g) de farfalles multicolores

2 c. à thé (10 ml) d'ail haché

1 échalote française, hachée

1 c. à thé (5 ml) d'huile de canola

10 à 15 petites asperges, coupées en tronçons de 1 1/2 po (4 cm)

1/2 poivron rouge, coupé en dés

1 paquet de 10 oz (300 g) de tofu soyeux mou

3/4 tasse (180 ml) de lait

1/4 c. à thé (1 ml) de muscade moulue

1 c. à thé (5 ml) de basilic séché

1/4 c. à thé (1 ml) de sel

30 grosses crevettes décortiquées

1 c. à table (15 ml) de fécule de maïs délayée dans un peu d'eau

1/4 tasse (60 ml) de fromage mozzarella partiellement écrémé râpé

1/2 tasse (125 ml) de tomates cerises coupées en deux

1/4 tasse (60 ml) d'oignons verts hachés

poivre concassé, au goût

1. Cuire les pâtes dans une casserole d'eau bouillante salée jusqu'à ce qu'elles soient al dente. Égoutter et réserver.

2. Dans une autre casserole, faire suer l'ail et l'échalote dans l'huile jusqu'à ce qu'ils soient tendres. Ajouter les asperges et le poivron, et cuire à feu moyen-vif de 5 à 7 minutes ou jusqu'à ce que les légumes soient tendres mais encore légèrement croquants.

3. Au mélangeur, mélanger le tofu, le lait, la muscade, le basilic et le sel de façon à obtenir une sauce crémeuse et homogène. Verser cette sauce sur les légumes, puis ajouter les crevettes et la fécule délayée. Porter à ébullition, réduire à feu doux et poursuivre la cuisson en remuant sans arrêt jusqu'à ce que la sauce ait la consistance désirée. Ajouter le fromage et assaisonner au goût.

4. Napper chaque portion de pâtes de la sauce. Garnir de tomates cerises et d'oignons verts, et parsemer de poivre.

FLASH ANTI-CANCER

La consommation de soja contribuerait à prévenir les cancers hormono-dépendants, comme le cancer du sein et de la prostate. D'ailleurs, ces cancers sont peu fréquents en Asie, où la consommation de soja est parmi les plus élevées du monde. Par contre, il est contre-indiqué de consommer des produits à base de soja dans les cas de cancer diagnostiqué ou en rémission, car ils pourraient compromettre la guérison.

Truc santé

Chut, c'est un secret! Ne révélez pas votre truc: le tofu donne à cette sauce une texture onctueuse, même si elle ne contient pas de crème. Pour un apport supplémentaire de fibres, remplacez les farfalles par des pâtes de blé entier.

Pétoncles poêlés, garniture de cresson et de betteraves

4 portions ∗ Préparation: 15 min ∗ Cuisson: 8 min ∗ Attente: 30 min

Valeur nutritive par portion

Énergie:
249 Cal/1046 kJ

Protéines: 28 g

Matières grasses: 4 g

Glucides: 15 g

Fibres alimentaires: 2 g

Sodium: 322 mg

Oméga-3: 0,7 g

1/3 tasse (80 ml) de jus d'orange

2 c. à table (30 ml) d'estragon frais haché

1 c. à table (15 ml) d'aneth frais haché

poivre du moulin, au goût

1 1/4 lb (625 g) de gros pétoncles parés

4 tasses (1 L) de cresson lavé et paré

2 tasses (500 ml) de betteraves cuites coupées en bâtonnets

1 c. à table (15 ml) d'huile de canola

1. Dans un plat en verre, mélanger le jus d'orange, l'estragon et l'aneth. Poivrer. Ajouter les pétoncles et les napper de la marinade. Couvrir et laisser mariner 30 minutes au réfrigérateur. Pendant ce temps, répartir le cresson dans les assiettes.
2. Égoutter les pétoncles et verser la marinade dans une petite casserole. Porter la marinade à ébullition et cuire 2 minutes.
3. Réchauffer les betteraves et les réserver au chaud jusqu'à ce que les pétoncles soient cuits.
4. Dans une poêle, chauffer l'huile à feu vif. Ajouter les pétoncles et cuire à l'unilatérale – c'est-à-dire sans les retourner – jusqu'à ce que le dessus soit légèrement opaque et que le dessous soit bien doré.
5. Répartir les betteraves et les pétoncles dans les assiettes. Servir la marinade comme sauce.

FLASH ANTI-CANCER

Comme le chou, le cresson contient du glucosinolate, un composé actif qui donne un goût piquant à la plante. On a noté une baisse des substances cancérigènes provenant du tabac dans les tissus de fumeurs qui avaient ajouté du cresson à leur alimentation.

Truc santé

Nutritifs, savoureux et rapides à cuisiner, les pétoncles sont une source de protéines maigres – à peine 1 g de gras par 100 g – et nécessitent très peu de cuisson, de 3 à 4 minutes au plus. Mais attention: s'ils ont trop cuit, ils seront durs, secs et sans saveur.

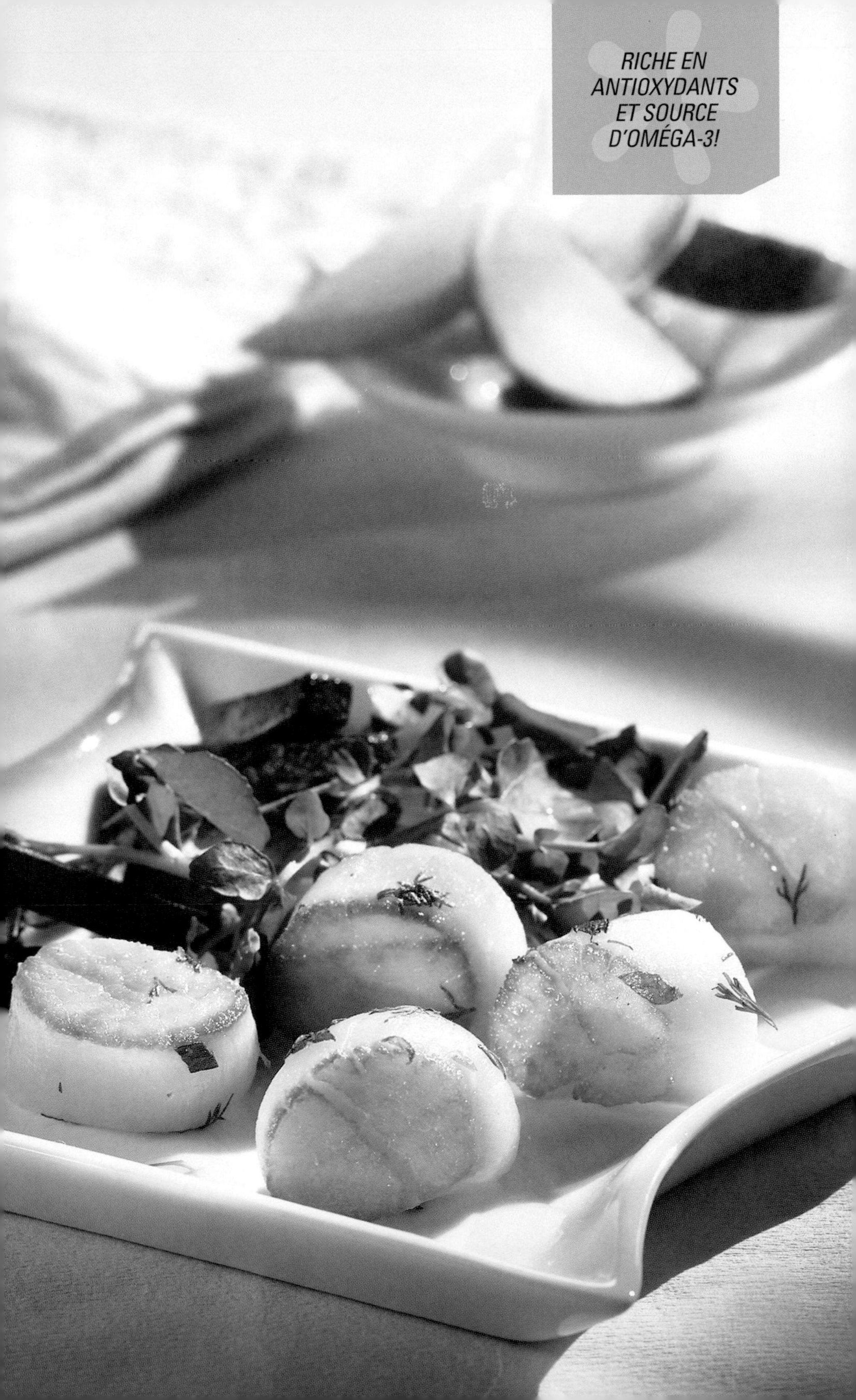
RICHE EN ANTIOXYDANTS ET SOURCE D'OMÉGA-3!

Accompagnements

Chou rouge aux pommes et à l'ail

4 portions * Préparation: 10 min * Cuisson: 20 min * Attente: aucune

Valeur nutritive par portion

Énergie:
144 Cal/605 kJ

Protéines: 3 g

Matières grasses: 7 g

Glucides: 19 g

Fibres alimentaires: 4 g

Sodium: 81 mg

Oméga-3: 0,7 g

2 c. à table (30 ml) d'huile de canola

1 lb (500 g) de chou rouge émincé finement

1 oignon, émincé

3 gousses d'ail, hachées

1/3 tasse (80 ml) de jus de pomme

1/2 tasse (125 ml) de bouillon de poulet réduit en sodium

1 pomme, coupée en morceaux

2 c. à table (30 ml) de basilic frais haché finement

sel et poivre du moulin, au goût

1. Dans une casserole, chauffer l'huile à feu moyen-vif. Ajouter le chou, l'oignon et l'ail, et faire revenir de 3 à 4 minutes en remuant souvent.
2. Ajouter le jus de pomme et le bouillon de poulet, et poursuivre la cuisson jusqu'à ce que la préparation ait réduit de moitié.
3. Incorporer la pomme et le basilic, saler et poivrer. Réduire à feu moyen-doux et couvrir. Poursuivre la cuisson 10 minutes ou jusqu'à ce que le chou soit tendre mais encore légèrement croquant.

FLASH ANTI-CANCER

La quercétine, les procyanidines, la catéchine et l'épicatéchine sont les principaux éléments actifs qui confèrent à la pomme ses pouvoirs antioxydants et anti-cancer. Pour profiter de tous les bienfaits de ce fruit, il faut manger la pelure, car elle serait de deux à six fois plus riche en antioxydants que la chair. La pelure est également riche en fibres solubles, qui aident à soutenir l'appétit et à contrôler la glycémie (taux de sucre dans le sang) et le cholestérol sanguin. Si le pouvoir antioxydant de la pomme varie d'une variété à l'autre, la Délicieuse Rouge et la Cortland figurent parmi les plus riches en antioxydants.

Truc santé

Certaines personnes digèrent mal le chou et les autres légumes de la famille des crucifères (chou-fleur, brocoli, chou de Bruxelles, chou-rave). Bonne nouvelle: la cuisson du chou réduit les malaises intestinaux, en plus d'augmenter la biodisponibilité des antioxydants. Mais on peut aussi lui ajouter quelques graines de cumin au moment de la cuisson. Le meilleur truc, c'est d'en consommer souvent puisque l'intestin s'habitue à digérer les crucifères.

Gratin de patates douces à la muscade

4 portions * Préparation: 10 min * Cuisson: 25 min * Attente: aucune

Valeur nutritive par portion

Énergie:
262 Cal/1100 kJ

Protéines: 13 g

Matières grasses: 11 g

Glucides: 29 g

Fibres alimentaires: 3 g

Sodium: 306 mg

Oméga-3: 0,1 g

2 tasses (500 ml) de lait

1 c. à thé (5 ml) de muscade moulue

1 gousse d'ail, hachée

2 c. à table (30 ml) de fécule de maïs délayée dans un peu d'eau

1 tasse (250 ml) de mélange de cheddar et de mozzarella râpés

2 patates douces, pelées et coupées en tranches de 1/2 po (1 cm) d'épaisseur

2 oignons, coupés en tranches fines

sel et poivre du moulin, au goût

1. Dans une casserole, chauffer le lait à feu moyen jusqu'à ce qu'il fume. Au fouet, incorporer la muscade et l'ail, puis la fécule délayée. Poursuivre la cuisson en remuant jusqu'à ce que la préparation ait la consistance d'une sauce. Incorporer le fromage. Retirer la casserole du feu et réserver au chaud.
2. Préchauffer le four à 400 °F (200 °C).
3. Dans un plat allant au four, superposer les tranches de patates douces et d'oignons en terminant par les patates douces. Couvrir de la sauce. Saler et poivrer.
4. Cuire au four pendant 20 minutes ou jusqu'à ce que les patates douces soient tendres.

FLASH ANTI-CANCER

La patate douce est une excellente source de fibres et de vitamine A, une vitamine aux propriétés antioxydantes qui contribue à protéger contre le cancer. Fait intéressant, plus sa chair est colorée, plus la patate douce est riche en vitamine A. Elle est aussi une bonne source de vitamine C et de plusieurs vitamines du complexe B. C'est donc un légume qui mérite de trouver sa juste place sur notre table.

Truc santé

Au Québec, nous n'avons pas l'habitude de cuisiner la patate douce. Pourtant, sa chair est tendre et délicieuse. Elle se cuisine comme la pomme de terre: au four, en potage, en purée ou en gratin. Son goût sucré se marie bien avec la cannelle, le gingembre, le miel ou la muscade.

Légumes-racines grillés à l'ail et au romarin

6 portions * Préparation: 10 min * Cuisson: 40 min * Attente: aucune

Valeur nutritive par portion

Énergie: 88 Cal/370 kJ

Protéines: 3 g

Matières grasses: 0 g

Glucides: 19 g

Fibres alimentaires: 3 g

Sodium: 196 mg

Oméga-3: 0 g

1 pomme de terre rouge

1 petite patate douce

2 carottes

2 panais

1/4 de navet

2 blancs d'œufs

1 c. à table (15 ml) d'eau

2 c. à thé (10 ml) d'ail haché

1 c. à thé (5 ml) de romarin séché

1/2 c. à thé (2 ml) de fleur de sel ou de sel de mer

1. Couper tous les légumes en bâtonnets.
2. Dans un grand bol, battre légèrement les blancs d'œufs avec l'eau, l'ail et le romarin. Ajouter les légumes et mélanger pour bien les enrober.
3. Répartir les légumes sur deux plaques de cuisson doublées de papier parchemin. Saupoudrer de fleur de sel.
4. Cuire au four préchauffé à 400 °F (200 °C) de 35 à 40 minutes ou jusqu'à ce que les légumes soient tendres. Faire dorer sous le gril du four (à broil) de 2 à 3 minutes. Servir sans attendre.

FLASH ANTI-CANCER

Cuits au four, ces bâtonnets de légumes sont croustillants à l'extérieur et tendres à l'intérieur, comme de bonnes frites. Et ils ne contiennent pas de matières grasses, contrairement aux frites surgelées du commerce ou aux frites de restaurant, qui peuvent apporter de 10 à 20 g de gras par portion. On sait qu'une alimentation riche en matières grasses constitue un facteur de risque de cancer. Pour vous protéger, réduisez votre consommation totale de gras et choisissez de bons gras, comme les huiles végétales, les poissons et les noix.

Truc santé

Les fruits et les légumes biologiques représentent un bon choix pour l'environnement, mais aussi pour la santé. Selon certaines études, ils contiendraient moins de nitrates, une substance potentiellement cancérigène, et seraient légèrement plus concentrés en vitamines et minéraux. Cette différence nutritionnelle viendrait du fait que l'aliment bio renferme moins d'eau, n'ayant pas été traité aux engrais chimiques. Le Québec produit des légumes-racines biologiques de grande qualité. Faites-vous plaisir!

Orge aux légumes sur lit de bok choy à l'orange

4 portions * Préparation: 10 min * Cuisson: 1 h * Attente: aucune

Valeur nutritive par portion

Énergie: 277 Cal/1163 kJ

Protéines: 10 g

Matières grasses: 8 g

Glucides: 46 g

Fibres alimentaires:10 g

Sodium: 139 mg

Oméga-3: 0,1 g

Orge

1 tasse (250 ml) d'orge mondé

3 tasses (750 ml) de bouillon de poulet réduit en sodium

1 tasse (250 ml) d'eau

1/4 tasse (60 ml) de poivron rouge coupé en petits dés

1/4 tasse (60 ml) de poivron jaune coupé en petits dés

1/4 tasse (60 ml) de carotte coupée en petits dés

1/4 tasse (60 ml) de courgette (zucchini) coupée en petits dés

2 oignons verts, hachés finement

2 c. à thé (10 ml) d'huile de sésame grillé

Bok choy

1 c. à table (15 ml) d'huile d'olive

3 tasses (750 ml) de bok choy (chou chinois) émincé

2 c. à table (30 ml) de zeste d'orange

sel et poivre du moulin, au goût

1. Dans une casserole, mélanger l'orge, le bouillon de poulet et l'eau. Porter à ébullition. Réduire le feu, couvrir et laisser mijoter 45 minutes. Ajouter les légumes et poursuivre la cuisson 15 minutes.
2. Pendant ce temps, dans une poêle, chauffer l'huile d'olive à feu moyen-vif. Ajouter le bok choy et le zeste d'orange, et cuire, en remuant souvent, pendant 2 minutes ou jusqu'à ce qu'il soit tendre.
3. Incorporer l'huile de sésame à la préparation d'orge. Bien mélanger à la fourchette.
4. Répartir le bok choy dans les assiettes et déposer l'orge aux légumes sur le dessus. Assaisonner au goût.

FLASH ANTI-CANCER

De toutes les familles d'aliments, la famille des crucifères (les choux) serait celle dont les effets anti-cancer sont les plus marqués. Plusieurs études suggèrent même de manger chaque jour des légumes de cette famille afin de réduire le risque d'apparition de plusieurs types de cancer: sein, poumon, tube digestif, prostate. Pour prévenir la monotonie, variez les crucifères en choisissant le bok choy, par exemple.

Truc santé

L'orge perlé a subi cinq ou six abrasions suivies d'une uniformisation, qui permet d'obtenir des grains de forme et de grosseur égales. Le grain a perdu son germe ainsi qu'une partie de sa valeur nutritive. L'orge mondé a simplement été débarrassé de son enveloppe extérieure et a pratiquement conservé tout le son. Puisqu'il a perdu très peu d'éléments nutritifs, ce grain est plus nourrissant que l'orge perlé. L'orge mondé représente aussi une source remarquable de fibres, soit 10 g par 1/2 tasse (125 ml).

Riz à l'indienne

6 portions * Préparation: 10 min * Trempage: 10 à 15 min * Cuisson: 55 min

Valeur nutritive par portion

Énergie: 169 Cal/709 kJ

Protéines: 4 g

Matières grasses: 4 g

Glucides: 32 g

Fibres alimentaires: 3 g

Sodium: 17 mg

Oméga-3: 0,3 g

1 tasse (250 ml) de riz basmati à grain entier (basmati brun)

3 tasses (750 ml) d'eau

2 c. à thé (10 ml) de curcuma

1 c. à table (15 ml) d'huile de canola

1 c. à table (15 ml) de pâte de cari byriani

1/2 oignon, haché finement

1 poivron rouge, haché finement

1 poivron vert, haché finement

1/2 tasse (125 ml) de maïs en grains surgelé

2 oignons verts, hachés

poivre concassé

1. Faire tremper le riz de 10 à 15 minutes dans un bol d'eau froide. Bien égoutter.

2. Dans une casserole, mélanger l'eau et le curcuma, et porter à ébullition. Ajouter le riz égoutté, couvrir et cuire à feu vif pendant 10 minutes. Réduire à feu doux et poursuivre la cuisson de 35 à 40 minutes ou jusqu'à ce que le riz soit tendre. Retirer la casserole du feu et laisser reposer pendant 10 minutes. Ne pas retirer le couvercle afin de conserver l'humidité.

3. Pendant ce temps, chauffer l'huile et la pâte de cari dans une poêle. Ajouter l'oignon et faire suer quelques minutes. Ajouter les poivrons et le maïs, et poursuivre la cuisson 5 minutes.

4. Incorporer le riz cuit. Garnir d'oignons verts et parsemer de poivre concassé. Servir en accompagnement d'une grillade ou d'un poisson poché.

FLASH ANTI-CANCER

Le curcuma, une épice indienne qui serait fortement anti-cancer, ne fait pas partie des habitudes nord-américaines. Comment l'intégrer à votre menu? Environ 1 cuillerée à thé (5 ml) de curcuma dans vos trempettes de légumes leur donnera une belle teinte orangée et un goût légèrement parfumé. Votre bouillon de poulet maison manque de tonus? En ajoutant 1 cuillerée à thé (5 ml) de curcuma à 4 tasses (1 L) de bouillon, il prendra une couleur jaune et aura un goût plus relevé, comme le bouillon du commerce, mais le sel en moins. Ajoutez-en aussi à vos marinades pour la viande ou à votre riz, comme dans cette recette de riz aux légumes.

Truc santé

Plutôt que d'acheter du riz blanc (donc raffiné), privilégiez le riz basmati brun (à grain entier), car il a conservé le son et le germe, qui contiennent l'essentiel de la valeur nutritive. Pour le même prix, ce riz fournit plus de fibres, mais aussi plus de protéines, de fer et de vitamines. La pâte de cari biryiani est un condiment indien très parfumé et légèrement épicé. Sa composition peut varier d'une marque à l'autre, mais elle contient habituellement du cumin, des graines de coriandre, de la cardamome, du fenouil et du poivre. Génial pour parfumer du riz ou des grillades. Vendue en pot de verre sous forme de pâte brunâtre, on la trouve dans les épiceries indiennes et dans la section des produits ethniques des supermarchés.

Desserts santé

Agrumes glacés à l'érable

4 portions ∗ Préparation: 15 min ∗ Cuisson: 5 à 7 min ∗ Attente: aucune

Valeur nutritive par portion

Énergie: 258 Cal/1082 kJ

Protéines: 3 g

Matières grasses: 3 g

Glucides: 56 g

Fibres alimentaires: 3 g

Sodium: 51 mg

Oméga-3: 0,1 g

1/3 tasse (80 ml) de jus de pamplemousse rose non sucré

1/2 tasse (125 ml) de sirop d'érable

1 c. à thé (5 ml) de zeste de lime

1 pamplemousse rose, en suprêmes

2 oranges, en suprêmes

1 1/2 tasse (375 ml) de yogourt glacé à la vanille

1. Dans une petite casserole, porter à ébullition le jus de pamplemousse et le sirop d'érable. Laisser bouillir jusqu'à ce que la préparation ait réduit de moitié. Ajouter le zeste de lime et retirer la casserole du feu.

2. Déposer délicatement les suprêmes de pamplemousse et d'oranges dans le sirop de pamplemousse.

3. Répartir le yogourt glacé dans quatre coupes à dessert. Garnir des suprêmes d'agrumes et napper de sirop de pamplemousse.

FLASH ANTI-CANCER

Les agrumes contiennent deux substances anti-cancer: les polyphénols et les terpènes. Des études ont mis en relief l'effet préventif des agrumes sur le cancer du tube digestif supérieur (œsophage, bouche, larynx, pharynx et estomac). Afin de profiter au maximum des fibres que contiennent les agrumes, il est toujours préférable de les consommer en quartiers plutôt qu'en jus.

Truc santé

Savez-vous comment préparer des suprêmes d'agrumes? C'est une technique fort simple qu'on appelle également «peler à vif». Il s'agit, en premier lieu, de couper la pelure de l'agrume de façon à retirer d'un seul coup la pelure, la peau blanchâtre et une fine couche de pulpe. Ensuite, on passe un couteau de chaque côté de la membrane qui sépare les quartiers. On obtient ainsi des quartiers d'agrume à nu, libérés de leur peau. Vous verrez, coupés ainsi, les agrumes fondent dans la bouche!

Brochettes de fruits grillés

12 brochettes ∗ Préparation: 5 min ∗ Cuisson: 5 min ∗ Attente: aucune

Valeur nutritive par portion de deux brochettes

Énergie: 59 Cal/245 kJ

Protéines: 0 g

Matières grasses: 0 g

Glucides: 15 g

Fibres alimentaires: 2 g

Sodium: 1 mg

Oméga-3: 0 g

48 cubes de fruits de 1 po (2,5 cm) (papaye, mangue, ananas, kiwis, melon, poires,…)

12 fraises fraîches

2 c. à table (30 ml) de miel

1 c. à thé (5 ml) de gingembre frais râpé

1 c. à table (15 ml) de jus de citron

1 c. à thé (5 ml) de zeste de citron

1. Enfiler les cubes de fruits et les fraises sur douze brochettes. Déposer les brochettes sur une grille placée sur une plaque de cuisson. Réserver.

2. Dans un petit bol, mélanger le miel, le gingembre, ainsi que le jus et le zeste de citron. Badigeonner les fruits de cette préparation.

3. Déposer la plaque sur la grille supérieure du four. Cuire sous le gril (à broil) pendant 5 minutes ou jusqu'à ce que les fruits soient légèrement caramélisés. Servir aussitôt.

FLASH ANTI-CANCER

Les fruits contiennent bien sûr des vitamines et des minéraux, éléments essentiels à une bonne santé. Cependant, la prise d'un comprimé de multivitamines, aussi complet soit-il, ne remplacera jamais la consommation de fruits puisque ces derniers contiennent aussi des centaines, voire des milliers, de composés actifs impossibles à isoler. Plusieurs de ces composés auraient des propriétés anti-cancer, d'où l'importance de consommer chaque jour une grande variété de fruits.

Truc santé

Des fruits, des fruits, et encore des fruits! Parions que les enfants raffoleront de ces brochettes colorées et qu'elles ne resteront pas longtemps dans leur assiette. Pour varier, servez les fruits grillés piqués sur des cure-dents plutôt qu'en brochette et faites trempette dans un yogourt aux fruits ou à la vanille. Miam!

Crème brûlée allégée

4 portions ∗ Préparation: 5 min ∗ Cuisson: 3 à 5 min ∗ Attente: 12 à 24 h

Valeur nutritive par portion

Énergie: 172 Cal/718 kJ

Protéines: 11 g

Matières grasses: 1 g

Glucides: 19 g

Fibres alimentaires: 3 g

Sodium: 98 mg

Oméga-3: 0 g

3 tasses (750 ml) de yogourt à la vanille sans gras

1 1/2 tasse (375 ml) de petits fruits frais ou surgelés, non sucrés

1/3 tasse (80 ml) de sucre brun ou de sucre d'érable

1. Doubler une passoire d'un filtre à café et la déposer dans un bol. Verser le yogourt dans la passoire, couvrir et laisser reposer de 12 à 24 heures au réfrigérateur. L'eau s'égouttera, et le yogourt perdra environ la moitié de son volume. **2.** Dans un bol, mélanger les petits fruits avec 1 c. à table (15 ml) de sucre brun (facultatif) et les déposer au fond de quatre ramequins. Répartir le yogourt égoutté sur les fruits. Saupoudrer chaque portion de 1 c. à table (15 ml) du reste du sucre brun. **3.** Passer sous le gril du four (à broil) quelques minutes pour faire fondre et caraméliser le sucre. Servir aussitôt.

✳ FLASH ANTI-CANCER

De plus en plus d'études démontrent que la consommation de produits laitiers contribuerait à prévenir le cancer du sein. Cet effet anti-cancer serait dû en partie aux acides linoléiques conjugués (ALC), un type d'acides gras présent principalement dans les matières grasses des produits laitiers. Les chercheurs ont déjà constaté qu'ils ralentissent le développement de tumeurs mammaires chez les animaux. Selon certaines études, les ALC auraient des effets similaires chez les femmes.

Truc santé

Saviez-vous qu'une crème brûlée classique contient environ 20 g de gras par portion? Essayez cette version allégée: crémeuse à souhait, vous n'en croirez pas vos yeux ni vos papilles!

Sucre brun et cassonade, du pareil au même? Détrompez-vous! Le sucre brun est un sucre brut (donc de couleur brune), tandis que la cassonade est du sucre blanc mélangé à de la mélasse. Remplacer le sucre brun par de la cassonade ne donnera pas le même résultat dans cette recette. La cassonade brûlera avant de caraméliser, et votre crème brûlée laissera à désirer…

Mousse aux fruits

6 portions * Préparation: 5 min * Cuisson: aucune * Attente: aucune

Valeur nutritive par portion de 1/2 tasse (125 ml)

Énergie: 80 Cal/336 kJ

Protéines: 3 g

Matières grasses: 2 g

Glucides: 15 g

Fibres alimentaires: 2 g

Sodium: 3 mg

Oméga-3: 0,3 g

2 tasses (500 ml) de petits fruits surgelés, non décongelés (1 boîte de 300 g)

1 paquet de 10 oz (300 g) de tofu soyeux mou

2 bananes mûres

1. Au mélangeur, fouetter tous les ingrédients jusqu'à ce que la préparation soit lisse et onctueuse.
2. Servir aussitôt, ou encore, répartir la mousse dans des moules à sucettes glacées, puis placer au congélateur. Petits et grands raffoleront de ces friandises glacées!

FLASH ANTI-CANCER

Les petits fruits figurent en tête de liste des aliments les plus riches en antioxydants et autres molécules anti-cancer, comme l'acide ellagique, les anthocyanidines et les proanthocyanidines. Frais ou surgelés, l'important, c'est d'en consommer!

Truc santé

Les bananes confèrent à cette mousse une douce saveur sucrée sans y ajouter de sucre. Vous pouvez aussi utiliser cette recette comme base d'un smoothie fruité et rafraîchissant. Ajoutez simplement 1 tasse (250 ml) de lait à la préparation sans modifier le reste de la recette. Fouettez au mélangeur et servez dans un grand verre avec une paille.

Petits gâteaux au chocolat et à la citrouille

6 gâteaux * Préparation: 15 min * Cuisson: 25 min * Attente: aucune

Valeur nutritive par gâteau

Énergie: 207 Cal/868 kJ

Protéines: 5 g

Matières grasses: 14 g

Glucides: 20 g

Fibres alimentaires: 4 g

Sodium: 29 mg

Oméga-3: 0,3 g

Petits gâteaux

2 œufs

1/3 tasse (80 ml) de sucre

1/4 tasse (60 ml) de beurre fondu

1/2 tasse (125 ml) de purée de citrouille non sucrée, maison ou en conserve

2 c. à table (30 ml) de lait

1/2 c. à thé (2 ml) de vanille

1/4 tasse (60 ml) de farine de blé entier

2 c. à table (30 ml) d'amandes moulues

1/2 c. à thé (2 ml) de poudre à pâte

1/3 tasse (80 ml) de cacao

1 pincée de cardamome moulue (facultatif)

1/2 c. à table (7 ml) de zeste de citron

Pour les moules

1 c. à table (15 ml) de farine de blé entier

1 c. à table (15 ml) de cacao

1 c. à table (15 ml) d'huile de canola

1. Préchauffer le four à 375 °F (190 °C).

2. Dans un bol, à l'aide d'un batteur électrique, fouetter les œufs avec le sucre jusqu'à ce que le mélange blanchisse. Ajouter le beurre fondu, puis la purée de citrouille, le lait et la vanille. Mélanger.

3. Dans un autre bol, mélanger la farine avec les amandes, la poudre à pâte, le cacao, la cardamome et le zeste de citron. Faire un puits au centre des ingrédients secs et y verser les ingrédients liquides. Mélanger jusqu'à ce que la pâte soit homogène.

4. Pour fariner les moules, dans un petit bol, mélanger la farine et le cacao. Huiler six moules à muffins ou quatre ramequins moyens et les poudrer de ce mélange.

5. Répartir la pâte dans les moules. Cuire au centre du four 25 minutes. Démouler et servir chaud ou à la température ambiante.

FLASH ANTI-CANCER

Saviez-vous que 40 g de chocolat riche en cacao (70 % et plus) contiennent plus d'antioxydants qu'un verre de vin rouge ou qu'une tasse de thé vert? Bien que le potentiel anticancéreux du cacao n'ait pas encore été clairement établi, sa teneur élevée en antioxydants — les polyphénols — permet d'espérer des résultats positifs. Cependant, le chocolat ne devient pas un aliment santé pour autant. Il est riche en gras, en calories et parfois en sucre. Mieux vaut le consommer avec modération et le choisir plus souvent sous forme de cacao non sucré, qu'on ajoute à nos desserts allégés préférés.

Truc santé

La purée de citrouille permet d'obtenir un dessert tendre et moelleux sans ajouter beaucoup de matières grasses. Dans la plupart des gâteaux, biscuits et pains desserts, on peut remplacer la moitié du gras demandé par de la purée de fruits (pommes, bananes, citrouille, dattes…). Ce petit truc ajoutera des éléments nutritifs, des fibres et beaucoup de goût à vos recettes!

Sorbet éclair

6 portions ✻ Préparation: 5 min ✻ Cuisson: aucune ✻ Attente: aucune

Valeur nutritive par portion de 1/3 tasse (80 ml)

Énergie: 79 Cal/333 kJ

Protéines: 1 g

Matières grasses: 0 g

Glucides: 20 g

Fibres alimentaires: 1 g

Sodium: 19 mg

Oméga-3: 0 g

1 lb (500 g) de fruits sans pépins (bleuets, ananas, mangue) surgelés, non décongelés

1/4 tasse (60 ml) de sirop de maïs

1 blanc d'œuf

1 c. à table (15 ml) de jus de citron

1. Mettre tous les ingrédients dans le récipient d'un mélangeur. Battre par séquences pendant environ 3 minutes ou jusqu'à ce que la préparation ait une consistance onctueuse. Servir sans attendre.

FLASH ANTI-CANCER

Parmi les antioxydants les plus importants du bleuet, on trouve les anthocyanines, dont la teneur augmente en fonction du degré de mûrissement du fruit. Les anthocyanines auraient un effet préventif contre le cancer de l'œsophage et du côlon. Puisque la saison des bleuets est courte, on peut se tourner vers les bleuets surgelés, qui ont conservé une bonne partie de leurs antioxydants.

Truc santé

Vos fruits frais sont très mûrs et vous craignez de les perdre? Pelez-les et congelez-les dans un sac de congélation. Pêche, mangue, ananas, prune, melon,… ajoutez tous vos restes de fruits à ce sac jusqu'à ce que vous en ayez suffisamment pour préparer cette recette de sorbet. Le mélange des saveurs et l'intensité du goût des fruits mûrs donneront un sorbet épatant à tous coups.

Tables des matières

Viandes et volailles

Poissons et fruits de mer

Accompagnements

Desserts santé

Achevé d'imprimer au Canada par
Marquis Imprimeur Inc.